2025年度版

TAC 税理士講座

税理士受験シリーズ

9

財務諸表論

理論問題集 応用編

TAC出版
TAC PUBLISHING Group

はじめに

本書は、税理士試験の財務諸表論の受験者を対象として、本試験における理論問題に対応するための応用力と実践力の養成を目的とした演習書として編集されたものである。

本試験の理論問題を攻略するためには、第一に各論点ごとの意義やキーワード等を正確に暗記し、内容を理解しなければならない。これなくして、合格の栄冠を勝ち取ることはできない。各論点ごとの意義、キーワード等の暗記や理解に不安のある方は、本書の姉妹書である「理論問題集 基礎編」や「完全無欠の総まとめ」を利用し、確実に身に付けて欲しい。

しかし、本試験で出題される問題は、単に暗記や理解しただけで対応できるとは限らない。覚えた文章を短くまとめて解答しなければならなかったり、複数の論点を関連させて解答文章を自ら作成しなければならない場合など、様々なパターンで出題される。

このような本試験問題に対応するためには、問題の意図を正確に読み取ったうえで、解答文章を自らまとめる応用力、実践力が必要不可欠となる。

また､本試験では稀に学習した範囲以外の論点から問題が出題される場合もあり、このような範囲外の論点が出題された場合の対応力も身に付ける必要がある。

さらに、限られた試験時間の中で、素早く解答文章をまとめる能力や難しい問題が出題された場合でも効率よく合格点を獲得するためのテクニックを身に付けることも合格のための必要な要素となる。

これらの能力を養成するためには、理論問題演習を利用し、自らが問題を読み込み、文章作成の練習を反復することが必要となる。

本書では、前述した応用力や実践力、さらには対応力などを身に付けてもらえるように、本試験の理論問題と同じ出題形式を採用することとした。

これにより、受験生諸君が問題の意図を読み取る能力、解答文章の作成能力など合格答案作成のために必要な能力を身に付け、本試験における理論問題に対して万全の対策が取れるようになるであろう。

本書が、受験生諸君にとって『合格』という栄冠獲得の一助となればこれに過ぎる喜びはない。

ＴＡＣ税理士講座

本書の特長

1　応用力と実践力の養成

本試験の出題実績に基づいて、重要論点を厳選した演習書です。演習を通じて、問題の意図を正確に読み取り、解答文章を自らまとめる応用力、実践力を確実に身に付けることができるように工夫されています。

2　配点を明示

解答ごとに、本試験において配点が予想される重要箇所に配点を付しています。

（下線および□で囲まれた数字が配点を示しています）

問題を解いた後、自己採点を行うことができますので、理解の状況を確認しながら、学習を進めることができます。

3　最新の改正に対応

最新の会計基準等の改正等に対応しています。

（令和６年９月までに公表された会計基準等に準拠）

4　重要度を明示

問題ごとに、本試験の出題実績に応じた重要度を明示しています。重要度に応じたメリハリをつけた学習を行うことが可能です。

Ａランク…非常に重要度の高い論点

Ｂランク…比較的重要度の高い論点

Ｃランク…比較的重要度の低い論点

5　本試験の出題の傾向と分析を掲載

最新の第74回（2024年実施）を含めた、本試験の出題傾向と分析を掲載しています。学習を進めるにあたって、参考にしてください。

本書の利用方法

1　問題を解く

本書は、本試験における理論問題に対応するための応用力と実践力の養成を目的とした演習書です。

まずは、「答案用紙」を用いて、実際に問題を解いてみましょう。解いた後は、配点を参考に、現状の定着度・理解度を確認しましょう。

2　チェック欄の利用方法

目次には問題ごとにチェック欄を設けてあります。実際に問題を解いた後に、日付、得点、解答時間などを記入することにより、計画的な学習、弱点の発見ができます。

3　間違えた問題はもう一度解く

間違えた問題をそのままにしておくと、後日同じような問題を解いたときに再度間違える可能性が高くなります。そのため、間違えた問題はなぜ間違えたのかを徹底的に分析して、二度と同じ間違いを繰り返さないように対策を考え、少し時期をずらしてもう一度解いて確認してください。

4　「理論問題集　基礎編」

「財務諸表論　理論問題集」には「基礎編」と「応用編」の２冊があり、「基礎編」は理論に関する体系的理解と基礎力の養成を目的とした演習書です。

各論点の意義、キーワードの暗記や理解に不安のある方は、「基礎編」を利用し、確実に身に付けましょう。

5　答案用紙の利用方法

「答案用紙」は、ダウンロードでもご利用いただけます。Cyber Book Store（TAC出版書籍販売サイト）の「解答用紙ダウンロード」にアクセスしてください。

https://bookstore.tac-school.co.jp

目次

出題の傾向と分析

理論問題について

① 過去10年間の出題内容

内容 ＼ 回数		第65回	第66回	第67回	第68回	第69回	第70回	第71回	第72回	第73回	第74回
Ⅰ　財務会計の全体構造Ⅰ	1　財務会計の定義・機能										
	2　静態論・動態論										
	3　制度会計										
	4　会計公準										
Ⅱ　一般原則	1　真実性の原則										
	2　正規の簿記の原則										
	3　資本・利益区別の原則										
	4　明瞭性の原則										
	5　継続性の原則										
	6　保守主義の原則										
	7　単一性の原則										
Ⅲ　損益会計	1　現金主義会計・発生主義会計										
	2　企業会計原則に準拠した発生主義会計			○				○			
	3　収益の認識・測定					○					
	4　費用の認識・測定							○			
	5　キャッシュ・フロー会計と損益計算の関係			○							
Ⅳ　資産評価総論	1　資産の概要					○					
	2　原価主義の原則と費用配分の原則										
	3　割引現価主義				○						
Ⅴ　棚卸資産	1　棚卸資産の範囲										
	2　取得原価決定										○
	3　費用配分										○
	4　低価基準										○
Ⅵ　有形固定資産	1　取得原価決定										
	2　減価償却			○					○		
	3　臨時償却・臨時損失										
	4　減価償却の計算方法								○		
	5　減耗償却										

内　容	回　数	第65回	第66回	第67回	第68回	第69回	第70回	第71回	第72回	第73回	第74回
Ⅶ　無形固定資産	1　のれんの定義										
	2　のれんの償却										
Ⅷ　繰延資産	1　繰延資産の定義										
	2　繰延経理の根拠										
	3　繰延資産の資産性										
	4　各繰延資産の取扱い										
	5　社債発行差金										○
Ⅸ　引当金	1　定義・目的・根拠	○						○			
	2　引当金の分類	○									
	3　引当金の計上区分										
Ⅹ　財務諸表	1　損益計算書の作成原則					○		○			
	2　貸借対照表の作成原則										
	3　株主資本等変動計算書										
	4　会計方針										
	5　後発事象										
Ⅺ　財務会計の全体構造Ⅱ	1　収益費用アプローチ・資産負債アプローチ				○		○				
	2　損益計算書と貸借対照表の連携		○	○			○				
Ⅻ　概念フレームワーク	1　財務報告の目的					○				○	○
	2　会計情報の質的特性									○	○
	3　財務諸表の構成要素				○		○	○		○	
	4　財務諸表における認識と測定				○	○					
XIII　金融商品基準	1　金融資産の評価				○						
	2　金銭債権の評価					○					
	3　貸倒見積高の算定										
	4　金銭債務の評価										
	5　有価証券の評価・評価差額の処理		○			○					
	6　デリバティブ取引										
XIV　リース基準	1　リース取引の定義										
	2　売買取引に準じた処理の理由					○					
	3　リース資産の資産性										
	4　貸手においてリース資産が流動資産に計上されるケース										
	5　ファイナンス・リース取引の判定基準					○					
	6　オペレーティング・リースの資産性						○				

内容		第65回	第66回	第67回	第68回	第69回	第70回	第71回	第72回	第73回	第74回
XV　減損基準	1　減損処理の定義	○								○	
	2　減損処理の目的							○		○	
	3　臨時償却との相違									○	
	4　減損処理の会計手続	○						○		○	
XVI　棚卸資産基準	1　通常の販売目的で保有する棚卸資産の評価					○					
	2　収益性の低下の判断										
	3　合理的に算定された価額										
	4　トレーディング目的の棚卸資産の評価					○					
XVII　研究開発基準	1　研究開発費の定義										
	2　発生時費用処理の根拠										
	3　研究開発費の具体例										
	4　仕掛研究開発費										
	5　受注制作のソフトウェア										
	6　市場販売目的のソフトウェア										
	7　自社利用のソフトウェア										
XVIII　退職給付基準	1　退職給付の定義										
	2　退職給付の性格										
	3　退職給付債務				○						
	4　年金資産										
	5　会計処理の基本的考え方										
XIX　資産除去債務基準	1　資産除去債務の定義			○							
	2　資産除去債務の負債計上						○				
	3　両建処理の根拠			○							
	4　除去費用の資産計上と費用配分	○					○				
	5　資産除去債務の算定			○	○		○		○		
	6　利息費用の計上								○		
XX　税効果基準	1　税効果会計の定義・目的										
	2　法人税等の性質										
	3　税効果会計の処理										
	4　繰延税金資産										
	5　繰延税金負債										
XXI　企業結合基準	1　企業結合の定義										
	2　取得の会計処理										
	3　のれんの償却理由										○

内容	回数	第65回	第66回	第67回	第68回	第69回	第70回	第71回	第72回	第73回	第74回
	4　負ののれん										○
	5　持分の結合の会計処理										
	6　投資原価の回収計算										
XXII　外貨換算基準	1　外貨換算の方法		○								
	2　外貨建取引の処理方法		○								
	3　為替予約等		○					○			
XXIII　純資産表示基準	1　純資産の概要				○						
	2　株主資本の区分の考え方									○	
	3　資本剰余金										
	4　利益剰余金										
	5　自己株式				○					○	
XXIV　ストック・オプション基準	1　ストック・オプションの定義										
	2　費用認識の根拠										
	3　権利確定日後の会計処理										
	4　従来の処理の根拠										
	5　新株予約権失効時の処理				○					○	
XXV　包括利益表示基準	1　包括利益とその他の包括利益		○				○				
	2　包括利益を表示する目的		○				○				
	3　リサイクリング			○			○				
XXVI　キャッシュ・フロー計算書基準	1　キャッシュ・フロー計算書の目的										
	2　資金の範囲										
	3　キャッシュ・フロー会計と損益計算の関係										
XXVII　連結財務諸表基準	1　作成目的				○						
	2　連結基礎概念										
XXVIII　四半期財務諸表基準	1　範囲・開示対象期間										
	2　四半期財務諸表の性格										
	3　四半期財務諸表の特徴										
XXIX　会計上の変更等基準	1　会計上の変更等に関する取扱い									○	
	2　会計方針の変更										
	3　表示方法の変更										
	4　会計上の見積りの変更							○		○	
	5　過去の誤謬									○	
XXX　セグメント情報	1　セグメント情報の定義										
XXXI　継続企業の前提	1　継続企業の前提に関する注記										
XXXII　賃貸等不動産	1　投資不動産の時価評価	○									

内容 ＼ 回数		第65回	第66回	第67回	第68回	第69回	第70回	第71回	第72回	第73回	第74回
XXXIII　収益認識基準	1　基本となる原則								○		
	2　収益を認識するための5つのステップ								○		

②　過去の出題内容の傾向と分析

イ　出題形式の特徴

財務諸表論の理論問題は、基本的に文章を作成する「論述形式」で出題される。しかし、近年においては長文を書かせるような問題はあまり出題されておらず、出題論点の要点だけを簡潔に論述、解答させる問題が多く出題されている。また、記号選択形式の問題も数多く出題されている。このような問題形式に対する対応力を身に付けるためには、各論点における内容を単に丸暗記するのではなく、どこがキーワード又はキーセンテンスとなるのかを意識しながら覚えるとともに、当該論点の内容をしっかりと理解することも必要となる。

また、理論問題においては論述問題ばかりではなく、会計基準の空所補充問題も数多く出題されている。よって、学習にあたっては各論点ごとに該当する会計基準をしっかりと確認することも重要となる。

なお、計算に関連する問題が出題される場合もある。

ロ　出題範囲の特徴

税理士試験の受験案内においては、財務諸表論の出題範囲について「会計原理、企業会計原則、企業会計の諸基準、会社法中計算等に関する規定、会社計算規則（ただし、特定の事業を行う会社についての特例を除く。）、財務諸表等の用語・様式及び作成方法に関する規則、連結財務諸表の用語・様式及び作成方法に関する規則」とされている。

過去の出題内容を見ると、近年においては前述の出題範囲のうち、「資産除去債務に関する会計基準」、「金融商品に関する会計基準」、「固定資産の減損に係る会計基準」等、いわゆる新会計基準からの出題が多くなってきている。今後もこの傾向は続くと思われることから、学習にあたっては新会計基準の内容はもちろんのこと、各会計基準の規定内容についても十分な確認が必要になるであろう。

また、最近の出題では、新会計基準の内容を中心に出題しつつ、それと関連する伝統的会計理論の内容もあわせて出題されている（例えば、「退職給付に関する会計基準」と伝統的な引当金の論点を関連させて出題している）。よって、新会計基準の学習だけに偏ることなく、関連する伝統的会計理論の内容も確認することが必要である。

TAX ACCOUNTANT

テーマ1　一般原則

第1問　一般原則①

重要度　B

次の文章は、「企業会計原則」（一般原則）から一部抜粋したものである。これに関連して、以下の各問に答えなさい。

> 「企業会計原則」（一般原則）
>
> 一　企業会計は、企業の財政状態及び経営成績に関して、［　①　］な報告を提供するものでなければならない。
>
> 三　資本取引と損益取引とを明瞭に区別し、特に［　②　］と［　③　］とを混同してはならない。
>
> 四　企業会計は、財務諸表によって、利害関係者に対し必要な会計事実を明瞭に表示し、企業の状況に関する判断を誤らせないようにしなければならない。
>
> 五　企業会計は、その処理の原則及び手続を［　④　］して適用し、［　⑤　］これを変更してはならない。
>
> 六　企業の財政に不利な影響を及ぼす可能性がある場合には、これに備えて［　⑥　］な会計処理をしなければならない。

1　空欄［　①　］から［　⑥　］にあてはまる適切な語句を答案用紙に記入しなさい。

2　一般原則一（真実性の原則）における空欄［　①　］の意味について説明しなさい。

3　一般原則三（資本・利益区別の原則）に関連して、以下の各問に答えなさい。

(1) 資本取引・損益取引とはどのような取引か簡潔に説明しなさい。

(2) 次の文章のうち、一般原則三の考え方として相応しいものを２つ選択し、その記号（イからニ）を答案用紙に記入しなさい。

イ　「繰延資産の会計処理に関する当面の取扱い」によれば、株式交付費は資本取引に伴って発生するものであるため資本から直接控除される。

ロ　資本剰余金を減少させて利益剰余金を増加させることは、資本と利益の混同に繋がるため認められない。

ハ　「貸借対照表の純資産の部の表示に関する会計基準」における株主資本の区分の考え方は、維持拘束性を特質とする払込資本と処分可能性を特質とする留保利益とを区別するという考え方である。

ニ　自己株式を他の有価証券と同様に換金性のある会社財産と捉えれば、自己株式は株主資本から控除する形式で表示される。

(3) 一般原則三の前段部分は適正な期間損益計算の観点、後段部分は財政状態及び経営成績の適正開示の観点からの規定とみることができるが、それぞれの資本概念について簡潔に説明しなさい。

4　一般原則四（明瞭性の原則）の適用例として、①重要な会計方針を開示する、②重要な後発事象を開示する、③区分表示の原則に従う、④重要項目には附属明細表を作成するなどがあるが、次の文章のうち、これらの根拠として最も相応しいものを1つずつ選択し、その記号（イからニ）を答案用紙に記入しなさい。

イ　将来の財政状態及び経営成績を理解するための補足情報として有用であるためである。

ロ　財務諸表の作成にあたっての前提を明らかにすることによって、財政状態及び経営成績についての理解を助けるためである。

ハ　財務諸表の項目の設定にあたっては概観性が重視されることから、概観性重視から生じる情報不足を補うためである。

ニ　貸借対照表及び損益計算書を明瞭に表示することによって、財政状態及び経営成績についての理解可能性を高めるためである。

5　一般原則六（保守主義の原則）に関連して、以下の各問に答えなさい。

(1) 保守主義とはどのような考え方か簡潔に説明しなさい。

(2) 保守主義の原則は、真実性の原則に反するおそれがあるが、保守主義の原則と真実性の原則との関係について説明しなさい。

(3) 次に掲げる文章のうち、保守主義の原則の適用例として最も相応しいものを1つ選択し、その記号（イからニ）を答案用紙に記入しなさい。

イ　定額法と定率法のうち、定額法が企業の財政状態及び経営成績を適切に反映できると判断される場合に定率法を採用する。

ロ　定額法と定率法のうち、定額法が企業の財政状態及び経営成績を適切に反映できると判断される場合に定額法を採用する。

ハ　定額法と定率法が企業の財政状態及び経営成績を同じ程度に適切に反映できると判断される場合に定率法を採用する。

ニ　定額法と定率法が企業の財政状態及び経営成績を同じ程度に適切に反映できると判断される場合に定額法を採用する。

解　答

1

①	真実	②	資本剰余金	③	利益剰余金
④	毎期継続	⑤	みだりに	⑥	適当に健全

2

真実性の原則における真実とは、絶対的真実性ではなく、相対的真実性[1]を意味する。なぜなら、今日の財務諸表は、「記録された事実と会計上の慣習と個人的判断の総合的表現」であるため[1]である。

3 (1)

資本取引

資本取引とは、資本の増加、減少を生じさせる取引[1]をいう。

損益取引

損益取引とは、資本を利用することにより、収益・費用を生じさせる取引をいう。[1]

(2)

ロ	ハ

(3)

適正な期間損益計算の観点

この場合の資本概念は、期首の自己資本[2]（株主資本）である。

財政状態及び経営成績の適正開示の観点

この場合の資本概念は、拠出資本[2]（払込資本）である。

4

①	ロ	②	イ	③	ニ
④	ハ				

5 (1)

保守主義とは、利益の過大計上となる会計処理を避け[1]、利益を少なく計上する会計処理を要求する考え方[1]である。

(2)

保守主義の原則は、一般に公正妥当と認められた会計処理の枠内[2]で適用されるものであり、真実性の原則に反するものではない。

しかし、過度の保守主義は、財政状態及び経営成績を不適正にさせる結果となるため、真実性の原則に反し認められない[1]。

(3)

ハ

【配　点】

1　各1点　　2　2点　　3 (1) 各1点　(2) 2つで1点　(3) 各2点

4　各1点　　5 (1) 2点　(2) 3点　(3) 1点　　合計25点

解答への道

1について

「企業会計原則」（一般原則）は、次のように規定している。

一　企業会計は、企業の財政状態及び経営成績に関して、**真実**①な報告を提供するものでなければならない。

三　資本取引と損益取引とを明瞭に区別し、特に**資本剰余金**②と**利益剰余金**③とを混同してはならない。

四　企業会計は、財務諸表によって、利害関係者に対し必要な会計事実を明瞭に表示し、企業の状況に関する判断を誤らせないようにしなければならない。

五　企業会計は、その処理の原則及び手続を**毎期継続**④して適用し、**みだりに**⑤これを変更してはならない。

六　企業の財政に不利な影響を及ぼす可能性がある場合には、これに備えて**適当に健全**⑥な会計処理をしなければならない。

2について

真実性の原則における真実とは、絶対的真実性ではなく、相対的真実性を意味する。なぜなら、今日の財務諸表は、「記録された事実と会計上の慣習と個人的判断の総合的表現」であるためである。

3(1)について

資本取引とは、資本の増加、減少を生じさせる取引をいい、損益取引とは、資本を利用することにより、収益・費用を生じさせる取引をいう。

3(2)について

イ：×　「繰延資産の会計処理に関する当面の取扱い」によれば、株式交付費は資本取引に伴って発生するものであるが、その対価は株主に支払われるものではないため、**費用として処理（繰延資産として資産計上した上で償却する処理を含む。）される。**

ロ：○　資本剰余金を減少させて利益剰余金を増加させることは、資本と利益の混同に繋がるため認められない。

ハ：○　「貸借対照表の純資産の部の表示に関する会計基準」における株主資本の区分の考え方は、維持拘束性を特質とする払込資本と処分可能性を特質とする留保利益とを区別するという考え方である。

ニ：×　自己株式を他の有価証券と同様に換金性のある会社財産と捉えれば、自己株式は**資産として表示される。**

なお、自己株式の取得を株主に対する払込資本の払戻しと捉えれば、自己株式は株主資本から控除する形式で表示される。

3 (3)について

資本・利益区別の原則は、究極的には資本と利益を峻別することを要請するものであるが、この原則には資本の捉え方により２つの側面がある。

① 適正な期間損益計算の観点（資本取引・損益取引区別の原則）

この場合の資本概念は、期首自己資本（株主資本）である。つまり、企業が維持すべき資本の大きさは期首自己資本の大きさであり、これを維持してなお余りある余剰としての期間利益を確定するため、期首自己資本そのものの増減分と自己資本の利用の結果生ずる自己資本増殖分（利益）とを明確に区別することが要請される。

② 財政状態及び経営成績の適正開示の観点（資本剰余金・利益剰余金区別の原則）

この場合の資本概念は、企業内に維持拘束すべき期末自己資本内部における拠出資本（払込資本）である。つまり、期末自己資本内部において、拠出資本をあらわす資本金・資本剰余金以外に、過去における稼得資本のうち企業内部に留保された利益剰余金が含まれているが、その両者の特質は全く異なっている。つまり、資本金・資本剰余金は維持拘束性を特質とするものであり、利益剰余金は処分可能性を特質とするものである。従って、期末自己資本内部における資本（拠出資本）と利益（稼得資本）の構成を明確に区別することが要請されるのである。

4について

明瞭性の原則の適用例として、①重要な会計方針を開示する、②重要な後発事象を開示する、③区分表示の原則に従う、④重要項目には附属明細表を作成するなどがあるが、これらの根拠は以下の通りである。

① 重要な会計方針を開示する

重要な会計方針が開示されるのは、財務諸表の作成にあたっての前提を明らかにすることによって、財政状態及び経営成績についての理解を助けるためである。

② 重要な後発事象を開示する

重要な後発事象が開示されるのは、将来の財政状態及び経営成績を理解するための補足情報として有用であるためである。

③ 区分表示の原則に従う

区分表示の原則に従って、貸借対照表及び損益計算書が作成されるのは、貸借対照表及び損益計算書を明瞭に表示することによって、財政状態及び経営成績についての理解可能性を高めるためである。

④ 重要項目には附属明細表を作成する

重要項目について附属明細表が作成されるのは、財務諸表の項目の設定にあたっては概観性が重視されることから、概観性重視から生じる情報不足を補うためである。

5 (1)について

保守主義とは、予想の収益の計上を禁止し、予想の費用・損失の早期計上を要求する考え方であり、利益の過大計上となる会計処理を避け、利益を少なく計上する会計処理を要求するものである。

5 (2)について

保守主義の原則は、一般に公正妥当と認められた会計処理の枠内で適用されるものであり、真実性の原則に反するものではない。しかし、過度の保守主義は、財政状態及び経営成績を不適正にさせる結果となるため、真実性の原則に反し認められない。

5 (3)について

企業はその実情に照らして最も適切にその財政状態及び経営成績を反映できる会計処理方法を採用すべきである。そのため、一つの会計事実について、二つ以上の会計処理の原則又は手続の選択適用が認められている場合であっても、最も保守的な会計処理が強制されるわけではなく、保守主義についての考慮は副次的に行うべきである。

したがって、保守主義の原則の適用例として最も相応しいものは「ハ（定額法と定率法が企業の財政状態及び経営成績を同じ程度に適切に反映できると判断される場合に定率法を採用する。)」となる。

(MEMO)

第2問 一般原則②

重要度 B

企業会計原則の「一般原則五」では、「企業会計は、その処理の原則及び手続を毎期継続して適用し、みだりにこれを変更してはならない。」としています。この「一般原則五」について、次の各問に答えなさい。

1　この「一般原則五」(以下「原則」という) は広く何と呼ばれていますか。

2　この「原則」の前提を会計事実と関わらせて説明し、その前提が必要となる理由を述べなさい。

3 (1) 下記に示す「会計処理の原則及び手続の変更」等のすべての類型のうち、この「原則」が問題とされる類型だけに○印を解答欄に記入しなさい。

「会計処理の原則及び手続の変更」等の類型

類　型	会計事実及びその変化	会計処理の原則及び手続の変更等
Ⅰ	a	A3→A4
Ⅱ	a→b	A2→B1
Ⅲ	a	A1→A2 (変更について正当な理由あり)
Ⅳ	bが生起	B1を新規採用
Ⅴ	a	A1→A3
Ⅵ	b	B2→B1 (変更について正当な理由なし)
Ⅶ	aが消滅	A2を廃止
Ⅷ	b	B3→B1

(注) 会計事実aについては、A1及びA2という2つの会計処理の原則及び手続だけが公正妥当と認められており、会計事実bに対しては、B1及びB2という2つの会計処理の原則及び手続だけが公正妥当と認められている。なお、→印は、変化又は変更を表す。

(2) (1)で○印を記入した類型に対して、この「原則」が「みだりに変更してはならない」としている理由を2つあげなさい。

4　上記3で示したⅠ～Ⅷの類型のうち、この「原則」の適用を受けず、かつ、会計事実に変化があった場合の類型はどれですか。該当する類型だけに○印を解答欄に記入しなさい。

5　上記3で示されたⅠ～Ⅷの類型のうち、「会計処理の原則及び手続の変更」等が積極的に認められる場合はどれですか。該当する類型だけに○印を解答欄に記入しなさい。

解　答

1

継続性の原則

2（前提）

一つの会計事実について二つ以上の会計処理の原則又は手続の選択適用が認められている場合[4]が前提となる。

（前提が必要となる理由）

一つの会計事実について一つの会計処理の原則又は手続だけを定め、これをすべての企業に強制すること[3]は、それが合理性をもたない企業において、財務諸表の相対的真実性が保証されないことになるため[3]である。

3(1)

類　型	Ⅰ	Ⅱ	Ⅲ	Ⅳ	Ⅴ	Ⅵ	Ⅶ	Ⅷ
解答欄			○			○		

(2)

① 経営者の利益操作の排除[3]

② 財務諸表の期間比較性の確保[3]

4

類　型	Ⅰ	Ⅱ	Ⅲ	Ⅳ	Ⅴ	Ⅵ	Ⅶ	Ⅷ
解答欄		○						

5

類　型	Ⅰ	Ⅱ	Ⅲ	Ⅳ	Ⅴ	Ⅵ	Ⅶ	Ⅷ
解答欄			○					

【配　点】

1　３点　　**2**（前提）４点　（理由）６点　　**3**(1)　２点　(2)　各３点

4　２点　　**5**　２点　　　合計25点

解答への道

1について

継続性の原則の名称は、確実に解答して欲しい。

継続性の原則は、いくつかの選択適用が認められた会計処理の原則又は手続が存在する場合に、いったん採用した会計処理の原則及び手続を毎期継続して適用することを要請するものである。

なお、継続性の原則は、表示の方法に関しても毎期継続して適用することを要請しているとみる見解もある。

2について

(1) 継続性の原則の前提

継続性の原則は、１つの会計事実について２つ以上の会計処理の原則又は手続の選択適用が認められる場合に必要となる。

(2) 前提が必要となる理由

企業はその業種、規模、経営方針などが多様であり、企業ごとに相違している。そのため、１つの会計事実について１つの会計処理の原則又は手続だけを定め、これをすべての企業に強制することは、それが合理性をもたない企業において、財務諸表の相対的真実性が保証されないことになる。そこで、一般に公正妥当と認められた企業会計原則においては、１つの会計事実について２つ以上の会計処理の原則及び手続を定め、企業がこれらの中から妥当と判断する原則又は手続を選択する自由を認めている。この考え方は、一般に「経理自由の原則」といわれている。

3について

(1) 会計処理方法の変更パターン

① 不公正な方法 → 不公正な方法

② 公正な方法 → 不公正な方法

③ 不公正な方法 → 公正な方法

④ 公正な方法 → 公正な方法 (正当な理由に基づく場合)

⑤ 公正な方法 → 公正な方法 (正当な理由に基づかない場合)

上記パターンのうち④と⑤が継続性の原則の適用の問題となる。よって、この原則が適用される類型はⅢとⅥである。

④ → 継続性の原則の適用 → 正当な理由あり → 変更可能

⑤ → 継続性の原則の適用 → 正当な理由なし → 変更不可

(2) 継続性の原則が、会計処理方法を「みだりに変更してはならない」としている理由は、経営者の利益操作を排除し、また、財務諸表の期間比較性を確保するためである。逆にこれらが継続性の原則が必要となる理由であり、各々の詳細を示すと以下のようになる。

① 経営者の利益操作の排除

今日の会計における処理及び手続の多様性の結果、どの方法を選択適用するかによって異なった利益額が算定されることになるが、毎期同一の方法が用いられている限り、そこには利益操作の行われる余地はなく、したがって、そのようにして作成された財務諸表は真実なものと考えられるのである。

② 財務諸表の期間比較性の確保

たとえ会計処理の原則及び手続を変更することが、利益操作を意図していないにしても、異なった会計処理の原則及び手続によって作成された財務諸表は、比較可能性を持たないことになる。したがって、継続性の原則を守ることで、財務諸表の会計期間ごとの比較を可能にし、企業の状況についてより適切な判断と意思決定とを行いうる情報を利害関係者に提供するのに役立つのである。

4について

会計事実に変化があった場合の類型はⅡである。

5について

変更が積極的に認められる場合の類型はⅢである。

テーマ2　損　益　会　計

第3問　損益会計①

重要度　B

次の文章は、「企業会計原則」から引用したものである。これに基づき以下の各問に答えなさい。

> 「企業会計原則」
>
> 損益計算書原則　一A
>
> すべての費用及び収益は、その[①]に基づいて計上し、その[②]した期間に正しく割当てられるように処理しなければならない。ただし、[③]は、原則として、当期の[④]に計上してはならない。
>
> （以下省略）
>
> 損益計算書原則　三B
>
> 売上高は、[⑤]に従い、商品等の販売又は役務の給付によって[⑥]したものに限る。
>
> （以下省略）

1　空欄[①]から[⑥]にあてはまる適切な用語を答えなさい。

2　空欄[⑥]の要件を２つ挙げなさい。

3　委託販売及び試用販売における、空欄の[⑥]の時点について説明しなさい。

4　「企業会計原則」に準拠した発生主義会計の目的について説明しなさい。

解　答

1

①	支出及び収入	②	発生	③	未実現収益
④	損益計算	⑤	実現主義の原則	⑥	実現

2

①	財貨又は役務の引渡し・提供
②	対価としての貨幣性資産の受領

3

委託販売	受託者が委託品を販売したとき[2]である。
試用販売	得意先が買取りの意思を表示したとき[2]である。

4

「企業会計原則」に準拠した発生主義会計の目的は、処分可能利益の計算という制約[2]を受けながらも、その枠内でできるだけ正確な期間損益計算を行うこと[3]である。

【配　点】

1　各２点　　2　各２点　　3　各２点　　4　５点　　合計25点

解答への道

1について

「企業会計原則」の空所補充問題である。

> 「企業会計原則」
>
> 損益計算書原則　一A
>
> すべての費用及び収益は、その**支出及び収入**①に基づいて計上し、その**発生**②した期間に正しく割当てられるように処理しなければならない。ただし、**未実現収益**③は、原則として、当期の**損益計算**④に計上してはならない。
>
> （以下省略）
>
> 損益計算書原則　三B
>
> 売上高は、**実現主義の原則**⑤に従い、商品等の販売又は役務の給付によって**実現**⑥したものに限る。
>
> （以下省略）

2について

収益は実現主義の原則により認識される。ここに、実現主義の原則とは、収益を実現の事実に基づいて計上することを要請する収益の認識原則である。なお、実現の事実とは、財貨・役務の引渡し・提供と、対価としての貨幣性資産の受領を意味する。

3について

収益の実現とは、企業が保有する財貨又は役務を企業の外部者に引渡し若しくは提供すること、すなわち、販売することをいい、このような収益の認識基準を販売基準という。

各種販売形態別の収益認識は、次のとおりである。

(1) 委託販売

委託販売については、受託者が委託品を販売したときに収益を計上する。

(2) 試用販売

試用販売については、得意先が買取りの意思を表示したときに収益を計上する。

4について

企業会計原則に準拠した発生主義会計は、収益力の算定・表示を目的としつつも、算出利益は処分可能利益でなければならないという制約から、収益については発生主義の原則により認識することはできず、客観性や確実性が得られ、利益の処分可能性が充たされる実現の時点で認識する実現主義の原則が採用されることとなるのである。

(MEMO)

第4問 損益会計②

重要度 C

企業会計における損益計算に関して、次の各問に答えなさい。

1　費用収益対応の原則について、次の各問に答えなさい。

(1) 期間損益計算において、費用収益対応の原則はどのような意味をもっているか述べなさい。

(2) 損益計算書の純損益計算の区分において、費用収益対応の原則が適用される項目があるかどうか、理由を付して述べなさい。

2　損益計算書の経常損益計算の区分に計上される「為替差損益」が純額で表示される理由を述べなさい。

3　費用収益対応表示の原則について、次の各問に答えなさい。

(1) 個別的対応関係に基づく対応表示について説明しなさい。

(2) 期間的対応関係に基づく対応表示について説明しなさい。

解　答

1 (1)

費用収益対応の原則は、期間損益計算において、発生した費用のうち、期間実現収益に対応するものを限定し、期間対応費用を決定する原則3である。この原則は、処分可能利益の算定という制約の中で、企業収益力の算定を担保する役割3を果たしているのである。

(2)

有　　　無（○）　　（どちらかを○で囲む）
当該区分には、臨時損益が記載2されるが、処分可能利益算定の見地から計上されるものであるため2、費用と収益の対応関係を見出すことはできない2。

2

為替差益・為替差損は、いずれも為替相場の変動という１つの要因により生ずるものであるから4、純額で表示することにより、その企業が為替相場の変動による影響をどれくらい受けているかを端的に示すことができるから3である。

3 (1)

売上高と売上原価1のように、その収益と費用とが商品又は製品を媒介とする直接的な対応関係に基づく対応表示2である。

(2)

売上高と販売費及び一般管理費1のように、その収益と費用とが会計期間を唯一の媒介とする間接的な対応関係に基づく対応表示2である。

【配　点】

1 (1)　６点　(2)　６点

2　７点

3 (1)　３点　(2)　３点　　　合計25点

解答への道

1について

(1)及び(2)について

費用は発生主義の原則により認識されるが、この期間発生費用のうち、当期の収益獲得に貢献したと認められる費用、すなわち期間対応費用は費用収益対応の原則によって抜き出される。

したがって、費用収益対応の原則は、費用の認識において発生主義の原則の後に適用され、期間費用を限定するための原則である。これにより、処分可能利益計算の枠内で、企業の収益力の算定・表示が可能となるのである。

なお、この収益力の算定・表示が損益計算書上で表示されるのは、経常損益計算の区分までである。純損益計算の区分は、処分可能利益の算定・表示のために設けられている区分であるため、その意味において当該区分の記載項目には費用収益対応の原則が適用されているとは言い難い。

2について

解答参照

3について

損益計算書における対応表示には、実質的対応関係に基づく対応表示と、取引の同質性に基づく対応表示とがある。

① 実質的対応関係（因果関係）に基づく対応表示

イ 個別的対応関係に基づく対応表示

売上高と売上原価のように、その収益と費用とが商品又は製品を媒介とする直接的な対応関係に基づく対応表示である。

ロ 期間的対応関係に基づく対応表示

売上高と販売費及び一般管理費のように、その収益と費用とが会計期間を唯一の媒介とする間接的な対応関係に基づく対応表示である。

② 取引の同質性に基づく対応表示

営業外収益と営業外費用、あるいは特別利益と特別損失のように、実質的対応関係はなく、取引の同質性に着目する対応表示である。

(MEMO)

第5問　資産会計総論

重 要 度　A

資産の評価基準は、評価時点と評価の基礎となる流通市場との組合せによって、下記図表の空欄①から④に分類することができる。これに関して以下の各問に答えなさい。

評価時点 流通市場	過　去	現　在	将　来
購入市場	①	②	−
売却市場	−	③	④

1　上記図表の空欄①から④にあてはまる適切な評価基準を【語群】の中から選択し、その記号（AからD）を答案用紙に記入しなさい。

【語群】

A　正味売却価額　　B　取得原価　　C　割引現在価値　　D　再調達原価

2　資産評価の基礎を上記図表の空欄①の評価基準に求める会計思考を原価主義という。

原価主義が最も合理性をもつのは貨幣価値が安定的な状態にある場合であり、貨幣価値が著しく変動する状態にある場合には問題点が生じる。当該問題点を３点指摘しなさい。

3　資産評価の基礎を上記図表の空欄④の評価基準に求める会計思考を割引現価主義という。これに関して以下の各問に答えなさい。

(1)　割引現価主義が資産の定義に照らして妥当とされる論拠を答案用紙に記載しなさい。

(2)　割引現価主義の問題点を答案用紙に記載しなさい。

解　答

1

①	B	②	D	③	A	④	C

2

原価主義には、以下のような問題点がある。
①　資産評価額が現実の時価と乖離する[3]。
②　本来の営業活動に基づかない保有損益が利益計算の中に混入する[3]。
③　物価変動を反映した資本の維持を図ることができない[3]。

3 (1)

資産を経済的資源[3]とみる資産概念に立てば、当該資産から生じるであろうキャッシュ・フローを現在価値に割り引いた額をもって評価[2]することで、資産の本質と評価が会計理論的に一貫したものとなると考えられるため[3]である。

(2)

将来キャッシュ・フローの予測[1]及び割引率の選択[1]に不確実性[1]があり、経営者の主観が介入[1]する。

【配　点】

1　各1点　　2　9点

3 (1)　8点　　(2)　4点　　　合計25点

解答への道

1について

資産の評価基準は、評価時点と評価の基礎となる流通市場との組合せによって、以下のように分類することができる。

流通市場＼評価時点	過　去	現　在	将　来
購入市場	**取得原価**	**再調達原価**	―
売却市場	―	**正味売却価額**	**割引現在価値**

2について

資産評価の基礎を取得原価に求める会計思考を原価主義（取得原価主義）という。

原価主義が最も合理性をもつのは貨幣価値が安定的な状態にある場合であり、貨幣価値が著しく変動する状態にある場合には以下のような問題点が生じる。

①　資産評価額が現実の資産価額（時価）と乖離する

資産の取得時に決定された取得原価は、その後時価が変動しても評価替されない。そのため、資産の時価が取得原価と著しく異なっている場合には、取得原価を基礎とした貸借対照表価額は、企業の適正な財政状態を表示しているとはいえないのである。

②　本来の営業活動に基づかない保有損益が利益計算の中に混入する

棚卸資産における売上原価のように、過去の支出額に基づいて算定される費用が、売上高のような最近の物価水準を反映する収益に対応させられる結果、物価変動時には企業本来の営業活動（販売活動）の業績を示すものではない保有損益が利益計算に混入し、企業業績の把握を害することになるのである。

③　物価変動を反映した資本の維持を図ることができない

過去の支出額に相当する金額は収入から回収されて維持されることになるが、それを超える額は利益として処分可能な状態におかれるため、物価上昇の影響を受けて騰貴した資産を再取得できるほどの金額は企業内部に維持されない。したがって、企業活動を継続していくための実質的な資本を維持することができないのである。

3について

資産評価の基礎を割引現在価値に求める会計思考を割引現価主義という。

(1)　割引現価主義の論拠

割引現価主義の論拠は、資産・負債の概念を経済的資源の観点から捉えるところに求められる。つまり、資産を経済的資源、負債を経済的資源を放棄若しくは引き渡す義務又はその同等物と見る資産・負債概念に立てば、当該資産・負債から生じるであろうキャッシュ

・フローを現在価値に割り引いた額をもって評価することで、資産・負債の本質と評価が会計理論的に一貫したものになると考えられるのである。

(2) 割引現価主義の問題点

割引現在価値を算定するためには、将来キャッシュ・フローの予測と割引計算に用いられるべき割引率の選択が必要となるが、経営者の主観が介入する恐れがある。

第6問 棚卸資産

重要度	A

次の各問に答えなさい。

問1 次の文章は、「企業会計原則と関連諸法令との調整に関する連続意見書」の一部を抜粋したものである。空欄[①]から[④]に入る適切な用語を答えなさい。

> 1 購入品の取得原価
>
> 購入棚卸資産の取得原価は、[①]に副費(附随費用)の一部又は全部を加算することにより算定される。[①]は、[②]から値引額、割戻額等を控除した金額とする。(以下省略)
>
> 2 生産品の取得原価
>
> (1) 完成品の取得原価
>
> 生産品については適正な[③]の手続により算定された[④]をもって取得原価とする。(以下省略)

問2 棚卸資産の売上原価等の払出原価と期末棚卸資産の価額の算定について、以下の各問に答えなさい。

1 棚卸資産の数量計算である継続記録法の説明として適切なものをすべて選び、記号で答えなさい。

イ 払出数量を記録しない方法であるため、在庫数量を常に把握しておくことはできない。

ロ 払出数量を記録する方法であるため、払出の原因を明らかにすることができる。

ハ 実地棚卸を行わないと、実際の期末数量を明らかにすることができない。

ニ 実地棚卸を行わなくても、実際の期末数量を明らかにすることができる。

ホ 実地棚卸を行うと、棚卸減耗を把握することができる。

2 個別法とはどのような方法か、述べなさい。また、当該方法はどのような棚卸資産の評価に適した方法か述べなさい。

3 先入先出法とはどのような方法か、述べなさい。また、当該方法は、平成20年改正「棚卸資産基準」でその適用が廃止となった後入先出法に比較して、どのような点が優れているといえるか、説明しなさい。

4 平均原価法とは、取得した棚卸資産の平均原価を算出し、この平均原価によって期末棚卸資産の価額を算定する方法であるが、平均原価の算出方法を2つ指摘しなさい。

5 売価還元法とは、値入率等の類似性に基づく棚卸資産のグループごとの期末の売価合計額に、原価率を乗じて求めた金額を期末棚卸資産の価額とする方法であるが、当該方法はどのような棚卸資産に適用されるか述べなさい。

解答

問1

①	購入代価	②	送状価額
③	原価計算	④	正常実際製造原価

問2

1

ロ、ハ、ホ

2

個別法は、取得原価の異なる棚卸資産を区別して記録[1]し、その個々の実際原価によって期末棚卸資産の価額を算定する方法[1]である。

個別法は、個別性が強い棚卸資産の評価に適した方法[1]である。

3

先入先出法は、最も古く取得されたものから順次払出しが行われ、期末棚卸資産は最も新しく取得されたものからなるとみなして期末棚卸資産の価額を算定[2]する方法である。

これに対し、後入先出法は、最も新しく取得されたものから払出しが行われ、期末棚卸資産は最も古く取得されたものからなるとみなして期末棚卸資産の価額を算定[2]する方法である。したがって、後入先出法によると物的流れと逆の払出額計算となり[1]、また、在庫の金額が直近の市場価格から乖離する[1]ことになるのに対し、先入先出法によれば、物的流れに即応した払出額計算ができ[1]、また、在庫の金額に直近の市場価格が反映[1]されることになる。

4

総平均法　　移動平均法

5

売価還元法は、取扱品種の極めて多い小売業等の業種における棚卸資産の評価に適用[2]される。

【配　点】

問1　各2点

問2　1　2点（完答）　2　3点　3　8点　4　各1点　5　2点　　合計25点

解答への道

問1

1　購入品の取得原価

　購入棚卸資産の取得原価は、**購入代価**①に副費(附随費用)の一部又は全部を加算することにより算定される。**購入代価**①は、**送状価額**②から値引額、割戻額等を控除した金額とする。(以下省略)

2　生産品の取得原価

(1)　完成品の取得原価

　生産品については適正な**原価計算**③の手続により算定された**正常実際製造原価**④をもって取得原価とする。(以下省略)

問2

1について

イ　×　払出数量を記録する方法である。

ロ　○

ハ　○

ニ　×　実地棚卸を行わないと、実際の期末数量を明らかにすることはできない。なお、実地棚卸はあくまでも継続記録法を補完するための手続きである。

ホ　○

2について

「棚卸資産の評価に関する会計基準」(以下、「棚卸資産基準」という。)では、以下のように規定している。

6-2.(略)

(1)　個別法

　取得原価の異なる棚卸資産を区別して記録し、その個々の実際原価によって期末棚卸資産の価額を算定する方法

　個別法は、個別性が強い棚卸資産の評価に適した方法である。

したがって、上記の内容を解答することとなる。

3について

「棚卸資産基準」では、以下のように規定している。

6-2. (略) (2) 先入先出法 　最も古く取得されたものから順次払出しが行われ、期末棚卸資産は最も新しく取得されたものからなるとみなして期末棚卸資産の価額を算定する方法 34-5. 　後入先出法は、最も新しく取得されたものから棚卸資産の払出しが行われ、期末棚卸資産は最も古く取得されたものからなるとみなして、期末棚卸資産の価額を算定する方法であり、(以下略)

したがって、先入先出法の内容については、上記____部分を解答することとなる。また、本問では、先入先出法が優れている点すなわち長所を、後入先出法と比較して述べさせる問であるため、後入先出法の内容について説明（上記____部分）したうえで、先入先出法の長所を、後入先出法と比較しながら解答することとなる。

先入先出法の特徴をまとめると次のようになる。

(1) 内容

最も古く取得されたものから順次払出しが行われると仮定して、期末棚卸資産の価額を算定する方法

(2) 長所

① 物的な流れに即応した払出額計算ができる。

② 在庫の金額に直近の市場価格が反映される。

(3) 短所

損益計算上古い原価が新しい収益に対応されるため、費用収益の同一価格水準的対応が図られず、価格変動時に保有損益が計上される。

後入先出法の特徴をまとめると次のようになる。

(1) 内容

最も新しく取得されたものから払出しが行われると仮定して、期末棚卸資産の価額を算定する方法

(2) 長所

損益計算上新しい原価が新しい収益に対応されるため、費用収益の同一価格水準的対応が図られることとなり、価格変動時には保有損益の計上を抑制できる。

(3) 短所

① 物的な流れと逆の払出額計算となる。

② 在庫の金額が直近の市場価格から乖離する。

なお、上記のうち＿＿部分を解答することとなる。

4について

「棚卸資産基準」では、以下のように規定している。

> 6-2. (略)
>
> (3) 平均原価法
>
> 取得した棚卸資産の平均原価を算出し、この平均原価によって期末棚卸資産の価額を算定する方法
>
> なお、平均原価は、総平均法又は移動平均法によって算出する。

したがって、上記＿＿部分を解答することとなる。

5について

「棚卸資産基準」では、以下のように規定している。

> 6-2. (略)
>
> (4) 売価還元法
>
> 値入率等の類似性に基づく棚卸資産のグループごとの期末の売価合計額に、原価率を乗じて求めた金額を期末棚卸資産の価額とする方法
>
> 売価還元法は、取扱品種の極めて多い小売業等の業種における棚卸資産の評価に適用される。

したがって、上記＿＿部分を解答することとなる。

(MEMO)

第7問 有形固定資産①

重要度 A

次の文章は、「企業会計原則と関係諸法令との調整に関する連続意見書 第三」（以下、「連続意見書 第三」という。）の一部を抜粋したものである。これに基づいて、以下の各問に答えなさい。なお、括弧内の用語は各自推定すること。

> …減価償却は所定の減価償却方法に従い、[①]、規則的に実施されねばならない。利益におよぼす影響を顧慮して減価償却費を任意に増減することは、右に述べた[②]に反するとともに、（　　　）をゆがめるものであり、是認し得ないところである。（以下省略）

1　空欄[①]及び[②]に入る適切な用語を、答案用紙の所定の箇所に記入しなさい。

2　減価償却の目的について、端的に述べなさい。

3　減価償却については、財務的な側面から２つの効果があるといわれている。そこで、その２つの効果について説明しなさい。なお、解答に当たっては、引当金の計上と共通する効果をＡとして、もう１つの効果をＢとして解答すること。

4　一般に公正妥当と認められる減価償却の具体的方法のうち、①取得原価の安定した期間配分の観点からは必ずしも合理的ではないと考えられる方法の名称を指摘し、②その理由を簡潔に説明しなさい。

解　答

1

①	計画的	②	正規の減価償却

2

適正な費用配分[2]を行うことによって、毎期の損益計算を正確ならしめること[2]である。

3

Aについて

減価償却費は支出を伴わない費用[2]であるので、資金的には当該金額だけ企業内に留保[2]され、取替資金の蓄積[1]が行われる。このような効果を自己金融[1]という。

Bについて

固定資産取得のために投下され固定化されていた資金[2]が、減価償却の手続きにより再び貨幣性資産として回収され流動化[3]したことを意味する。このような効果を固定資産の流動化[1]という。

4　①　名　称

定	率	法

②　理　由

定率法によれば、減価償却費が急激に減少することになるため[2]、取得原価の安定した期間配分という点では必ずしも合理的とはいえないからである。

【配　点】

1　各3点　　2　4点　　3　各6点

4①　1点　②　2点　　合計25点

解答への道

1について

解答参照のこと。

2について

減価償却の目的は、伝統的な企業会計の目的である適正な期間損益計算の観点から導き出されていることを確認しなければならない。

3について

適正な期間損益計算を行うことを目的とする伝統的な企業会計において、減価償却はその目的達成のための手段である。その減価償却を行うことによってもたらされる財務的な効果については以下の２つがある。

① 固定資産の流動化

棚卸資産（商品）に投下された資本（資金）は、通常の場合、販売されることによって貨幣性資産（現金又は現金等価物）の裏付けのある売上収益（実現収益）から回収されることになる。これは、固定資産についても同じことがいえる。つまり、固定資産に投下された資本（取得原価）のうち一部が減価償却の手続により費用化され、その費用化された減価償却費が貨幣性資産（現金又は現金等価物）の裏付けのある収益と対応させられることになり、その収益から回収されることとなる。このような現象を減価償却による流動化という。

② 自己金融

減価償却費は、給料などとは異なりその計上に際して支出を伴わない費用なので、通常の場合、減価償却費計上額だけ貨幣性資産（現金又は現金等価物）の裏付けのある収益から回収された上で企業内部に留保されることとなる。このような現象を減価償却による自己金融という。

本問では、「解答に当たっては、引当金の計上と共通する効果をＡとして、もう１つの効果をＢとして解答すること」とある。引当金の計上は、減価償却と同様、非現金支出費用の計上による資金留保効果である自己金融の効果があるため、自己金融をＡとして解答し、固定資産の流動化をＢとして解答することとなる。

4について

一般に公正妥当と認められる減価償却の具体的方法として、①定額法、②定率法、③級数法、④生産高比例法の４つがある。それぞれについて、意義及び長所・短所を確実に押さえておくことが重要となる。

なお、その際には、配分基準として期間を基準とするもの（①、②、③）と生産高を基準とするもの（④）を区別することが大切である。さらに、期間を配分基準とするものについては、①と②の対比、さらに②と③の関係も押さえておくことが必要である。

(MEMO)

第8問　有形固定資産②

重要度	A

固定資産の会計処理に関する以下の各問に答えなさい。

1　臨時損失とはどのようなものか答えなさい。

2　減損会計について「固定資産の減損に係る会計基準」に基づき次の(1)から(3)に答えなさい。

(1) 固定資産の減損処理とはどのようなものか答えなさい。

(2) ①臨時損失、②減損処理は、それぞれどのような点に着目して実施される処理なのか、その内容を端的に答えなさい。

(3) 固定資産の減損処理は、金融資産に適用される時価評価と異なるものである。そこで、①固定資産について減損処理を行う目的、②金融資産について時価評価を行う目的をそれぞれ答えなさい。

解　答

1

臨時損失とは、災害、事故等の偶発的事情[1]により、固定資産の実体が減失した場合[1]に、この事実に対応して臨時的に実施される帳簿価額の切下げ[3]である。

2 (1)

固定資産の減損処理とは、資産の収益性の低下により投資額の回収が見込めなくなった状態が生じた場合[3]に、一定の条件の下で回収可能性を反映させるように帳簿価額を減額する会計処理[3]である。

(2) ① 臨時損失

固定資産の著しい物質的減価[3]に着目して実施される処理である。

② 減損処理

固定資産の収益性の低下[3]に着目して実施される処理である。

(3) ①

固定資産の減損処理は、取得原価基準の下[1]で回収可能性を反映[1]させるように、事業用資産の過大な帳簿価額を減額[1]し、将来に損失を繰り延べない[1]ことを目的とするものである。

②

金融資産の時価評価は、資産価値の変動によって利益を測定すること[2]や、決算日における資産価値を貸借対照表に表示すること[2]を目的とするものである。

【配　点】

1　5点　　2 (1) 6点　(2) 各3点　(3) 各4点　　合計25点

解答への道

1～2(2)について

固定資産の減損とは、資産の収益性の低下により投資額の回収が見込めなくなった状態であり、減損処理とは、そのような場合に、一定の条件のもとで回収可能性を反映させるように帳簿価額を減額する会計処理をいう（「固定資産の減損に係る会計基準の設定に関する意見書」（以下、「意見書」という）三・３）。

この減損処理に類似するものとして、臨時損失があるが、これらはその性質が異なるものである。

各々の特徴をまとめると次のようになる。

(1) 臨時損失

固定資産の著しい物質的減価に対応して臨時的に実施される簿価の切下げ。

(2) 減損処理

固定資産の収益性の低下により投資額の回収が見込めなくなった場合に、一定の条件のもとで回収可能性を反映させるように帳簿価額を減額する処理。

2(3)について

固定資産の減損処理は、投資額の回収可能性を反映させるように、帳簿価額を減額する処理であるが、その回収可能性を反映する価額、すなわち回収可能価額には(1)正味売却価額と(2)使用価値がある。

(1) 正味売却価額

資産又は資産グループの時価から処分費用見込額を控除して算定される額。

(2) 使用価値

資産又は資産グループの継続的使用と使用後の処分によって生ずると見込まれる将来キャッシュ・フローの現在価値。

固定資産が上記の価額で評価されることとなるため、固定資産の減損処理は固定資産を時価評価しているのではないかと見られがちである。

しかし、固定資産の減損処理は時価評価ではなく、将来に損失を繰り延べないために行われる処理であり、取得原価基準の下で行われる帳簿価額の臨時的な減額である。

このことに関して「意見書」では次のように述べている。

> 「…固定資産の減損処理は、棚卸資産の評価減、固定資産の物理的な滅失による臨時損失や耐用年数の短縮に伴う臨時償却などと同様に、事業用資産の過大な帳簿価額を減額し、将来に損失を繰り延べないために行われる会計処理と考えることが適当である。これは、金融商品に適用されている時価評価とは異なり、資産価値の変動によって利益を測定することや、決算日における資産価値を貸借対照表に表示することを目的とするものではなく、取得原価基準の下で行われる帳簿価額の臨時的な減額である。」（「意見書」三・１）

(MEMO)

第9問　繰延資産①

重要度 B

次の「企業会計原則（最終改正昭和57年４月20日）」及び「討議資料　財務会計の概念フレームワーク」に関する**問１**及び**問２**について、答案用紙の所定の箇所に解答を記入しなさい。

問１　次の文章は、「企業会計原則　貸借対照表原則一Ｄ」である。これに関連して、以下の各問に答えなさい。

> [①]は、次期以後の期間に配分して処理するため、[②]に貸借対照表の<u>資産の部に記載することができる。</u>(a)

1　上記文章の空欄（[①]及び[②]）に適切な用語を記入しなさい。

2　空欄[①]とは、どのようなものとされるか説明しなさい。

3　下線部(a)について、次の各問に答えなさい。

(1)　空欄[①]のうち、資産の部に記載されたもの（以下、「記載項目」という。）は収支計算と損益計算の期間的な差異（ズレ）から生じる項目（以下、「差異項目」という。）の１つであると考えられるが、当該「記載項目」及び「差異項目」を一般にどのように呼ぶかその名称を答えなさい。

(2)　「差異項目」にはいくつかの種類があるが、「記載項目」が該当するものを次の選択肢（イからヘ）から１つ選びなさい。

選択肢

イ　費用・未支出項目	ロ　支出・未費用項目	ハ　収益・未収入項目
ニ　収入・未収益項目	ホ　支出・未収入項目	ヘ　収入・未支出項目

(3)　空欄[①]が、資産の部に記載される根拠となる原則として代表的なものを認識面と測定面のそれぞれにつき１つずつ答えなさい。

(4)　空欄[①]が、資産の部に記載される目的を説明しなさい。

(5)　空欄[①]について、資産の部への記載が強制されていない理由を、上記(4)に関連させて説明しなさい。

問２　次の文章は、「討議資料　財務会計の概念フレームワーク　第３章　財務諸表の構成要素」からの抜粋である。これに関連して、以下の各問に答えなさい。

> ４　資産とは、過去の取引または事象の結果として、報告主体が[③]している[④]をいう。

1　上記文章の空欄（[③]及び[④]）に適切な用語を記入しなさい。

2　空欄[④]について簡潔に説明しなさい。

3　上記**問１**の「記載項目」が、上記**問２**の文章における資産の定義に合致しているか否かをその理由とともに論じなさい。

解　答

問1

1

①	将来の期間に影響する特定の費用	②	経過的

2

> 将来の期間に影響する特定の費用とは、すでに代価の支払が完了しまたは支払義務が確定[1]し、これに対応する役務の提供を受けた[1]にもかかわらず、その効果が将来にわたって発現するものと期待される費用[1]をいう。

3 (1)

繰	延	資産

未	解	決	項目（別解：未解消）

(2)

ロ

(3)

認識	費用収益対応	の原則
測定	費用配分	の原則

(4)

> 将来の期間に影響する特定の費用が資産の部に記載される目的は、費用と収益の適正な対応を可能にし[1]、期間損益計算の適正化を図ること[2]である。

(5)

> 将来の期間に影響する特定の費用の中には、将来の収益との対応が不確実なものも含まれているため[3]、資産の部への記載が強制されていないのである。

問2

1

③	支配	④	経済的資源

2

> 経済的資源とは、キャッシュの獲得に貢献する便益の源泉[2]をいい、実物財に限らず、金融資産及びそれらの同等物を含む[1]。

3

> 繰延資産は、収益と費用との対応という考え方や期間利益の平準化などといった考え方に基づいて、発生費用の一部を繰延べたもの[1]であるが、基本的に将来においてキャッシュを獲得しうると期待できるのであれば、資産の定義に当てはまると考えられる[2]。

【配　点】

問1　**1**　各1点　**2**　3点　**3**(1)　各1点　(2)　2点　(3)　各1点　(4)　3点　(5)　3点

問2　**1**　各1点　**2**　3点　**3**　3点　合計25点

解答への道

問1について

1　「企業会計原則　貸借対照表原則一D」に関する空所補充問題である。

> **将来の期間に影響する特定の費用**(①)は、次期以後の期間に配分して処理するため、**経過的**(②)に貸借対照表の資産の部に記載することができる。

2　「将来の期間に影響する特定の費用」について、企業会計原則注解（注15）においては、次のように述べている。

> **「将来の期間に影響する特定の費用」とは、すでに代価の支払が完了し又は支払義務が確定し、これに対応する役務の提供を受けたにもかかわらず、その効果が将来にわたって発現するものと期待される費用をいう。**
>
> これらの費用は、その効果が及ぶ数期間に合理的に配分するため、経過的に貸借対照表上繰延資産として計上することができる。

したがって、上記下線部分を解答することとなる。

3 (1)　将来の期間に影響する特定の費用のうち、資産の部に記載されたものを「繰延資産」と呼ぶ。

また、収支計算と損益計算との期間的な差異（ズレ）から生じる項目を一般に「未解決（未解消）項目」と呼ぶ。

伝統的な企業会計においては、収益から費用を控除することで利益を計算するという損益法を採用している。当該損益法に基づく損益計算の原型は収支計算であるが、期間損益計算の適正化の観点から、収益と収入、費用と支出の計上時期に期間的な差異が生じる場合がある。

この損益計算と収支計算の期間的な差異から生じる項目を未解決項目といい、収益・未収入項目、収入・未収益項目、支出・未費用項目、費用・未支出項目などがある。

つまり、貸借対照表に記載される項目は、期間損益計算の適正化の観点から、収支計算を人為的に期間配分した結果、当期の損益計算書に記載されなかったものであるということができる。

(2)　上記(1)の未解決項目のうち、繰延資産は「支出・未費用項目」に該当する。

(3)　将来の期間に影響する特定の費用については、期間損益計算の適正化の観点から、その支出額のすべてを、当該支出のあった会計期間の費用として取扱うのは適当ではないと考えられる。

すなわち、支出額を繰延経理の対象とし、決算日において、当該事象の性格に従ってその全額を貸借対照表の資産の部に掲記して将来の期間の損益計算にかかわらせるか、もしくは、一部を償却してその期間の損益計算の費用として計上するとともに、未償却残高を貸借対照表に掲記する必要があるとされる。

換言すれば、将来の期間に影響する特定の費用が、繰延資産として貸借対照表における資産の部に掲げられるのは、資産それ自体としての性格（換金能力やキャッシュ・フロー獲得能力）に着目していることからではなく、「費用収益の対応」による適正な期間損益計算の観点から、「費用配分の原則」の適用によるものであるといえる。

したがって、将来の期間に影響する特定の費用が資産の部に記載される根拠は、「費用収益対応の原則」及び「費用配分の原則」であることになる。

これに関して、「企業会計原則と関係諸法令との調整に関する連続意見書　第五　繰延資産について」において次のように記述されている。

二　繰延資産と損益計算

企業会計原則では、企業の損益計算は、ある期間の収益からこれに対応する費用を差し引くことによって行なわれるものとしている。この場合、収益と費用は、その収入および支出に基づいて計上されるのみでなく、それらが発生した期間に正しく割り当てられる必要がある。したがって、ある期間の損益計算に計上すべき収益と費用の金額を決定するには、できる限り、具体的な事実もしくは客観的な根拠によらなければならない。もっぱら主観的な判断によって収益もしくは費用の金額を定めることは、損益計算上、厳に排除されるのである。

いわゆる**繰延資産は、ある支出額の全部が、支出を行なった期間のみが負担する費用となることなく、数期間にわたる費用として取り扱われる場合に生ずる。**この点は前払費用の生ずる場合と同様であるが、前払費用は、前に述べたように、すでに支出は完了したが、いまだ当期中に提供を受けていない役務の対価たる特徴を有している。これに対し、繰延資産は、支出が完了していることは同様であるが、役務そのものはすでに提供されている場合に生ずる。

このような支出額を当期のみの費用として計上せず、数期間の費用として処理しようとするとき、ここに繰延経理という考え方が適用され、この結果、次期以降の費用とされた金額は、繰延資産として、貸借対照表の資産の部に掲記されることとなるのである。

ある支出額が繰延経理される根拠は、おおむね、次の２つに分類することができる。

（一）　ある支出が行なわれ、また、それによって役務の提供を受けたにもかかわらず、支出もしくは役務の有する効果が、当期のみならず、次期以降にわたるものと予想される場合、**効果の発現という事実を重視**して、効果の及ぶ期間にわたる費用として、これを配分する。

（二）　ある支出が行なわれ、また、それによって役務の提供を受けたにもかかわらず、その金額が当期の収益に全く貢献せず、むしろ、次期以降の損益に関係するものと予想される場合、**収益との対応関係を重視**して、数期間の費用として、これを配分する。

この２つの根拠は、しばしば、一つの具体的な事象のなかに混在することがあるが、もし、**このような根拠があれば、支出額の全部を、支出の行なわれた期間の費用として取り扱うことは適当ではない。すなわち、支出額を繰延経理の対象とし、決算日において、当該事象の性格に従って、その全額を貸借対照表の資産の部に掲記して将来の期間の損益計算にかかわらせるか、もしくは、一部を償却してその期間の損益計算の費用として計上するとともに、未償却残高を貸借対照表に掲記する必要がある。換言すれば、繰延資産が貸借対照表における資産の部に掲げられるのは、それが換金能力という観点から考えられる財産性を有するからではなく、まさに、費用配分の原則によるものといわなければならない。**

したがって、企業会計原則の立場からすれば、支出額を数期間の費用として正しく配分することに、きわめて重要な意味がある。

(4) 上記(3)に述べたように、将来の期間に影響する特定の費用が資産の部に記載されるのは、収益と費用の対応を合理的に行い、期間損益計算の適正化を図るためである。

(5) 将来の期間に影響する特定の費用は、会計理論上は、すべて資産計上すべきであると考えられる。

しかし、企業会計原則上は繰延資産の計上が任意計上となっており、その理由として次のものが指摘される。

① 換金性のない繰延資産には、その計上を慎重に行うという保守主義の思考が作用していること。

② 将来の期間に影響する特定の費用の中には、将来の収益との対応が不確実なものも含まれていること。

これらのうち、本問の要求は、上記(4)に関連させることとなるため、上記②となる。

問２について

1 「討議資料　財務会計の概念フレームワーク」（以下、「フレームワーク」という。）第３章に関する空所補充問題である。

資産とは、過去の取引または事象の結果として、報告主体が**支配**③している**経済的資源**④をいう。

2 「経済的資源」については様々な解釈が可能であると思われるが、「フレームワーク」第３章本文(2)においては、次のように記述している。

経済的資源とは、**キャッシュの獲得に貢献する便益の源泉をいい、実物財に限らず、金融資産及びそれらとの同等物を含む**。経済資源は市場での処分可能性を有する場合もあれば、そうでない場合もある。

3　繰延資産が、資産の定義に合致するか否かについても、様々な解釈が行われている。特にいわゆる資産負債アプローチの下では、資産として認められない（資産の定義に合致しない）とする見解が有力と思われる。

しかし、本問は「フレームワーク」に立脚したものであるため、資産負債アプローチにおける解釈を問うたものではない。

「フレームワーク」第３章本文(3)においては、次のように記述されいている。

> 一般に、**繰延費用と呼ばれてきたものでも、将来の便益が得られると期待できるのであれば、それは、資産の定義には必ずしも反していない**。その資産計上がもし否定されるとしたら、資産の定義によるのではなく、認識・測定の要件または制約による。

繰延資産は収益と費用との対応という考え方や期間利益の平準化といった考え方に基づいて、発生費用の一部を繰延べたものであり、資産の定義に合致しないのではないかとの指摘も考えられる。しかし、「フレームワーク」における基本的思考では、当該繰延資産が将来においてキャッシュを獲得しうると期待できるのであれば、資産の定義に当てはまると考えられており、資産の定義において繰延資産は排除されるものではない。

第10問　繰延資産②

重要度　B

繰延資産に関する以下の各問に答えなさい。

問１　次の文章は、「繰延資産の会計処理に関する当面の取扱い」（以下、「当面の取扱い」という。）から抜粋したものである。

> 株式交付費（新株の発行又は自己株式の処分に係る費用）は、原則として、［　①　］に費用（［　②　］）として処理する。

1　上記空欄①及び②に適切な用語を記入しなさい。

2　「当面の取扱い」では、新株の発行に係る費用と自己株式の処分に係る費用を整合的に取り扱うこととしているが、その理由を「当面の取扱い」に基づいて説明しなさい。

3　「当面の取扱い」では、株式交付費は損益取引から生じた費用として、上記のような取扱いを規定していると考えられるが、当該取扱いの根拠を「当面の取扱い」に基づいて株式交付費の対価の支払いに着目して説明しなさい。

4　支出の効果が期待されなくなった繰延資産の会計処理について、「当面の取扱い」に基づいて説明しなさい。

問２　「研究開発費等に係る会計基準」（同意見書を含め、以下「基準」という。）では、研究開発に係る費用につき、「企業会計原則」における会計処理には問題点があるとして、発生時に費用処理することとしている。かかる点を踏まえて、以下の各問に答えなさい。

1　「企業会計原則」における会計処理の問題点を「基準」に基づいて説明しなさい。

2　研究開発費を発生時に費用処理する理由を「基準」に基づいて説明しなさい。

3　「基準」では、研究開発費を当期製造費用に算入することを認めているが、当該会計処理にはある問題点が指摘されている。その問題点について説明しなさい。なお、研究開発費の原価性の有無については考慮外とする。

解答

問1

1

①	支出時	②	営業外費用

2

会社法においては、新株の発行と自己株式の処分の募集手続は募集株式の発行等として同一の手続[2]によることとされ、また、株式の交付を伴う資金調達などの財務活動に要する費用としての性格は同じ[2]であることから、自己株式の処分に係る費用は新株の発行に係る費用の会計処理と整合的に取り扱うことが適当と考えられる。

3

株式交付費は株主との資本取引に伴って発生するもの[1]であるが、その対価は株主に支払われるものではない[2]ためである。

4

支出の効果が期待されなくなった繰延資産は、その未償却残高[1]を一時に償却[2]しなければならない。

問2

1

費用処理又は資産計上を任意とする会計処理[1]が行われると、重要な投資情報である研究開発費について、企業間の比較可能性を担保することができない[2]こととなる。

2

研究開発費は、発生時には将来の収益を獲得できるか否か不明[2]であり、また、研究開発計画が進行し、将来の収益の獲得期待が高まったとしても、依然としてその獲得が確実であるとはいえない[1]からである。

また、資産計上の要件を定める場合にも、客観的に判断可能な要件を規定することは困難[1]であり、抽象的な要件のもとで資産計上を行うことは、企業間の比較可能性を損なう[2]こととなるからである。

3

研究開発費を当期製造費用として処理し、当該製造費用の大部分が期末仕掛品等として資産計上される場合[2]には、従来の繰延資産等として資産計上する処理と結果的に変わらないこととなる[2]ためである。

【配　点】

問1　1　各1点　2　4点　3　3点　4　3点

問2　1　3点　2　6点　3　4点　　合計25点

解答への道

問1

1について

「繰延資産の会計処理に関する当面の取扱い」（以下、「当面の取扱い」という。）では、以下のように規定している。

> 株式交付費（新株の発行又は自己株式の処分に係る費用）は、原則として、支出時①に費用（営業外費用②）として処理する。

2について

「当面の取扱い」では、新株の発行に係る費用と自己株式の処分に係る費用を整合的に取り扱うことについて、以下のように規定している。

> また、本実務対応報告では、新株の発行と自己株式の処分に係る費用を合わせて株式交付費とし、自己株式の処分に係る費用についても繰延資産に計上できることとした。自己株式の処分に係る費用は、旧商法施行規則において限定列挙されていた新株発行費には該当しないため、これまで繰延資産として会計処理することはできないと解されてきた。しかしながら、会社法においては、新株の発行と自己株式の処分の募集手続は募集株式の発行等として同一の手続によることとされ、また、株式の交付を伴う資金調達などの財務活動に要する費用としての性格は同じであることから、新株の発行に係る費用の会計処理と整合的に取り扱うことが適当と考えられる。

したがって、上記下線部をまとめて解答することとなる。

3について

「当面の取扱い」では、株式交付費を資本から直接控除しない理由について、以下のように規定している。

> 現行の国際的な会計基準では、株式交付費は、資本取引に付随する費用として、資本から直接控除することとされている。当委員会においては、国際的な会計基準との整合性の観点から、当該方法についても検討した。しかしながら、以下の理由により、当面、これまでの会計処理を踏襲し、株式交付費は費用として処理（繰延資産に計上し償却する処理を含む。）することとした。
>
> ① 株式交付費は株主との資本取引に伴って発生するものであるが、その対価は株主に支払われるものではないこと
>
> ② 株式交付費は社債発行費と同様、資金調達を行うために要する支出額であり、財務費用としての性格が強いと考えられること
>
> ③ 資金調達の方法は会社の意思決定によるものであり、その結果として発生する費用もこれに依存することになる。したがって、資金調達に要する費用を会社の業績に反映させることが投資家に有用な情報を提供することになると考えられること

上記～～～にあるように、現行の国際的な会計基準では、株式交付費は資本取引に付随する費用と捉えているのに対して、「当面の取扱い」では、上記＿＿＿にあるように、株式交付費は株主に支払われるものではないことから損益取引から生じた費用と捉えているものと考えられる。

したがって、本問では上記＿＿＿に基づいて解答することとなる。

4について

「当面の取扱い」では、支出の効果が期待されなくなった繰延資産の会計処理について、以下のように規定している。

> 支出の効果が期待されなくなった繰延資産は、その未償却残高を一時に償却しなければならない。

したがって、上記規定に基づいて解答することとなる。

問2

1について

「研究開発費等に係る会計基準」（以下、「基準」という。）意見書三2では、「企業会計原則」における会計処理の問題点について、以下のように規定している。

> 重要な投資情報である研究開発費について、企業間の比較可能性を担保することが必要であり、費用処理又は資産計上を任意とする現行の会計処理は適当でない。

したがって、上記規定をまとめて解答することとなる。

2について

「基準」意見書三2では、研究開発費を資産として計上することが適当ではないこととした理由について、以下のように規定している。

> 研究開発費は、発生時には将来の収益を獲得できるか否か不明であり、また、研究開発計画が進行し、将来の収益の獲得期待が高まったとしても、依然としてその獲得が確実であるとはいえない。そのため、研究開発費を資産として貸借対照表に計上することは適当でないと判断した。
>
> また、仮に、一定の要件を満たすものについて資産計上を強制する処理を採用する場合には、資産計上の要件を定める必要がある。しかし、実務上客観的に判断可能な要件を規定することは困難であり、抽象的な要件のもとで資産計上を求めることとした場合、企業間の比較可能性が損なわれるおそれがあると考えられる。
>
> したがって、研究開発費は発生時に費用として処理することとした。

したがって、上記下線部に基づいて解答することとなる。

3について

「基準」では、研究開発費の会計処理を費用処理又は資産計上のいずれか任意とすることを適当でないものとして研究開発費を発生時に費用処理することとしており、さらに費用処理の方法として一般管理費として処理する方法の他に、製造現場において研究開発活動が行われた場合には、研究開発費を当期製造費用に算入することを容認している。しかし、研究開発費を当期製造費用として処理し、当該製造費用の大部分が期末仕掛品や期末製品として資産計上されることとなる場合には、従来の繰延資産として資産計上する処理と結果的に変わらないこととなるという問題点が指摘されている。

(MEMO)

テーマ4　負 債 会 計

第11問　引当金

重要度　A

次に示す企業会計原則注解【注18】に関連し、以下の各問に答えなさい。

> 将来の［①］であって、その発生が［②］し、［③］、かつ、その金額を［④］ことができる場合には、当期の負担に属する金額を当期の費用又は損失として引当金に繰入れ、当該引当金の残高を貸借対照表の負債の部又は資産の部(a)に記載するものとする。
>
> ＜中略＞
>
> 発生の可能性の低い偶発事象に係る費用又は損失(b)については、引当金を計上することはできない。

問１　上記規定中の空欄①～④に当てはまる適切な語句を答えなさい。

問２　(1) 引当金を計上する目的を答えなさい。

(2) 費用の発生の意味を、「財貨又は用役の価値費消事実の発生」と捉えた場合における、引当金の計上根拠となる原則を答えなさい。

問３　下線部(a)に記載される引当金の具体例を示しなさい。

問４　将来の役員の退職慰労金の支払いに備えて資金留保を図ろうとする場合、企業の対処方法としてはどのような方法があるか説明しなさい。

問５　下線部(b)の偶発事象が引当金として計上されないのは、引当金とどのような違いがあるためか説明しなさい。

問６　下線部(b)の偶発事象について、企業会計原則ではどのような開示方法がとられるか説明しなさい。また、偶発事象が開示される理由についても説明しなさい。

解　答

問１

①	特定の費用又は損失	②	当期以前の事象に起因
③	発生の可能性が高く	④	合理的に見積る

問２

(1)

引当金を計上するのは、収益と費用を対応[2]させ、期間損益計算の適正化[2]を図ためである。

(2)

費用収益対応の原則

問３

貸倒引当金

問４

将来の役員に対する退職慰労金の支払いに備えて、資金の留保を図ろうとする場合の企業の対処方法としては、引当金の設定と積立金の設定[2]が考えられる。

すなわち、当該事象が注解18の要件を満たすのであれば、引当金を設定する[2]ことにより資金の留保を図り、要件を満たさないのであれば、積立金を設定する[2]ことにより資金留保を図ることとなる。

問５

引当金と偶発事象の違いは、債務が発生する可能性の高さ[1]にある。引当金は発生の可能性が高いもの[1]であるのに対して、偶発事象は引当金ほど発生の可能性が高くはないもの[1]である。

問６　開示方法

注記[1]することが要求されている。

理　由

偶発事象は、企業の将来の財政状態及び経営成績に重大な影響を及ぼすおそれがあるため[3]である。

【配　点】

問１　各１点　　問２(1)　４点　(2)　２点　　問３　２点

問４　６点　　問５　３点　　問６(開示方法) １点　(理由) ３点　　合計25点

解答への道

問1について

> 将来の特定の費用又は損失であって、その発生が当期以前の事象に起因し、発生の可能性が高く、かつ、その金額を合理的に見積ることができる場合には、当期の負担に属する金額を当期の費用又は損失として引当金に繰入れ、当該引当金の残高を貸借対照表の負債の部又は資産の部に記載するものとする。＜以下省略＞

問2について

(1) 将来の費用又は損失であるにも関わらず、一定の要件を満たすものが当期の費用又は損失として見越計上されるのは、費用と収益の適正な対応を図ることにより、適正な期間損益計算を行うためである。

(2) 費用の発生を財貨又は用役の価値費消事実の発生のみ（狭義説）と捉えた場合には、引当金の計上根拠は費用収益対応の原則となり、費用の発生を財貨又は用役の価値費消事実の発生と財貨又は用役の価値費消原因事実の発生（広義説）と捉えた場合には、引当金の計上根拠は発生主義の原則となる。

発生の意味	引当金の計上根拠
財貨又は用役の価値費消事実の発生のみ	費用収益対応の原則
財貨又は用役の価値費消事実の発生と 財貨又は用役の価値費消原因事実の発生	発生主義の原則

問3について

貸倒引当金は、金銭債権の貸倒れに伴い発生する将来の収入減少に関して設定される引当金であり、評価性控除項目として資産の部に記載される。

また、貸倒引当金は、発生の可能性の高い将来の収入減少による費用・損失を当期の負担に属する費用・損失として見越し計上した場合の貸方項目である。一方、減価償却累計額とは、過去の支出のうち当期までに費用化した金額の累計額である。したがって、貸倒引当金と減価償却累計額とは、その測定の基礎が将来の収入減少にあるか、それとも過去の支出にあるかという点においても相違する。

問4について

引当金も積立金も、その計上に際して支出を伴わないため、当該金額だけ資金を企業内に留保することができる。ただし、引当金の設定に際しては、注解18の要件を満たすことが求められる。もし、当該要件を満たすのであれば、期間利益の算出過程において引当金を設定し、資金留保を図ることとなる。それに対して、当該要件を満たさないのであれば、剰余金の処分過程において積立金を設定することにより資金留保を図ることとなる。

問５について

偶発事象に係る費用又は損失のうち、その発生の可能性が高ければ、当期の費用又は損失として見越計上することとなる。この場合の貸方項目は引当金となる。

これに対して、同じ偶発事象に係る費用又は損失であっても、その発生の可能性が高くない場合は、引当金の計上は認められず、偶発債務として貸借対照表に注記することとなる。

問６について

企業会計原則が、偶発事象（偶発債務）を注記により開示することを要請しているのは、偶発債務は将来の財政状態及び経営成績に重大な影響を及ぼす可能性があるものであるため、その事実を開示しておくためである。

テーマ5　財　務　諸　表

第12問　財務諸表

重要度　C

企業会計原則に従った損益計算書のフォームは以下の通りである。これに関連して次の１から４の各問に答えなさい。

損　益　計　算　書

A	Ⅰ　売　上　高	×××
	Ⅱ　売　上　原　価	×××
	d	×××
	Ⅲ　販売費及び一般管理費	×××
	e	×××
B	Ⅳ　営　業　外　収　益	×××
	Ⅴ　営　業　外　費　用	×××
	f	×××
C	Ⅵ　特　別　利　益	×××
	Ⅶ　特　別　損　失	×××
	g	×××
	法人税額、住民税額等	×××
	h	×××

1 (1)　空欄ＡからＣのそれぞれに当てはまる区分名称を記入しなさい。

(2)　空欄ｄからｈのそれぞれに当てはまる利益名称を答えなさい。

(3)　空欄ｅの利益により、どのような情報内容が明らかとなるか答えなさい。

2　損益計算書作成の考え方には、損益計算書において求めるべき利益観の違いにより当期業績主義と包括主義の２つがある。それぞれの内容について説明しなさい。

3　Ｂの区分において見られる費用収益の対応表示について説明しなさい。

4　企業会計原則注解【注１】では、「…重要性の乏しいものについては、…他の簡便な方法によることも…認められる。重要性の原則は、財務諸表の表示に関しても適用される。」と規定している。企業会計原則注解における損益計算書の表示に関する重要性の原則の適用例を２つ指摘しなさい。

解　答

1 (1)

A	営業損益計算	B	経常損益計算	C	純損益計算

(2)

d	売上総利益	e	営業利益
f	経常利益	g	税引前当期純利益
h	当期純利益		

(3)

企業の営業成績が明らかとなる。

2　当期業績主義

当期業績主義とは、損益計算書の作成目的を期間的な業績利益の算定・表示[2]と考え、そのために、経常損益のみで損益計算を行い、損益計算書を作成する考え方[2]をいう。

包括主義

包括主義とは、損益計算書の作成目的を期間的な処分可能利益の算定・表示[2]と考え、そのために、経常損益のみならず特別損益をも含めて損益計算を行い、損益計算書を作成する考え方[2]をいう。

3

経常損益計算の区分においては、実質的な対応関係はなく[1]、取引の同質性に基づく対応表示[2]が行われる。

4

特別損益に属する項目のうち、重要性の乏しいもの[1]については、経常損益計算に含めて表示することができる[1]。

法人税等の更正決定等による追徴税額及び還付税額のうち、重要性の乏しいもの[1]については、当期の負担に属するものに含めて表示することができる[1]。

【配　点】

1 (1) 各1点　(2) 各1点　(3) 2点　　2　各4点　　3　3点　　4　各2点

合計25点

解答への道

1について

(1)及び(2)について

企業会計原則に従った損益計算書の標準フォームは次のとおりである。

損　益　計　算　書

営業損益計算	Ⅰ	売上高	×××
	Ⅱ	売上原価	×××
		売上総利益	×××
	Ⅲ	販売費及び一般管理費	×××
		営業利益	×××
経常損益計算	Ⅳ	営業外収益	×××
	Ⅴ	営業外費用	×××
		経常利益	×××
純損益計算	Ⅵ	特別利益	×××
	Ⅶ	特別損失	×××
		税引前当期純利益	×××
		法人税額、住民税額等	×××
		当期純利益	×××

(3) について

企業会計原則における損益計算書は、営業損益計算、経常損益計算及び純損益計算の３区分が設けられている。

① 営業損益計算の区分は、その企業の営業活動から生ずる損益を記載して、営業利益を計算する区分であり、この営業利益を表示することにより、企業の営業成績が明らかとなる。

② 経常損益計算の区分は、営業損益計算の結果を受けて、営業活動以外の活動から生ずる損益で、特別損益に属しないものを記載して、経常利益を計算する区分であり、この経常利益を表示することにより、企業の正常収益力が明らかとなる。

③ 純損益計算の区分は、経常損益計算の結果を受けて、特別損益（臨時損益）を記載して、（税引前）当期純利益を計算する区分であり、この（税引前）当期純利益を表示することにより、当期の処分可能利益の増加額が明らかとなる。

2について

損益計算書は、企業の経営成績すなわち経営活動の成果を算定・表示するものであるが、この損益計算書の作成において求めるべき利益概念の違いから、当期業績主義と包括主義という２つの考え方がある。

① 当期業績主義

当期業績主義とは、損益計算書の作成目的を期間的な業績利益の算定・表示と考え、そのために、経常損益のみで損益計算を行い、損益計算書を作成するという考え方をいう。

② 包括主義

包括主義とは、損益計算書の作成目的を期間的な処分可能利益の算定・表示と考え、そのために経常損益のみならず特別損益をも含めて損益計算を行い、損益計算書を作成する考え方をいう。

③ 現行の企業会計原則における損益計算書

現行の企業会計原則における損益計算書は、特別損益も記載することから、形式的には包括主義の立場を採用しているが、当期業績主義に基づく利益も表示していることから、実質的には当期業績主義と包括主義を併合した形の損益計算書となっている。

3について

費用収益の対応表示には、実質的対応関係、つまり因果関係に基づくものと、取引の同質性に基づくものとがある。

(1) 実質的対応関係、つまり因果関係に基づく対応表示について

① 個別的対応関係に基づく対応表示

売上高と売上原価のように、その収益と費用とが商品または製品を媒介とする直接的な対応関係に基づく対応表示である。

② 期間的対応関係に基づく対応表示

売上高と販売費及び一般管理費のように、その収益と費用とが会計期間を唯一の媒介とする間接的な対応関係に基づく対応表示である。

(2) 取引の同質性に基づく対応表示について

営業外収益と営業外費用、あるいは、特別利益と特別損失のように、実質的対応関係はなく、取引の同質性に着目する対応表示である。

なお、本問ではBの区分（経常損益計算の区分）における費用と収益の対応表示について問われているため、上記(2)の内容に関して説明することとなる。

4について

企業会計原則における財務諸表の表示に関する重要性の原則の適用例は以下のとおりである。

(1) 分割返済の定めのある長期の債権又は債務のうち期限が一年以内に到来するもので、重要性の乏しいものについては、固定資産又は固定負債として表示することができる（企業会計原則注解【注１】）。

(2) 特別損益に属する項目のうち、重要性の乏しいものについては、経常損益計算に含めて表示することができる（企業会計原則注解【注12】）。

(3) 法人税等の更正決定等による追徴税額及び還付税額のうち、重要性の乏しいものについては、当期の負担に属するものに含めて表示することができる（企業会計原則注解【注13】）。

本問では損益計算書の表示に関する重要性の原則の適用例が問われているため、上記(2)及び(3)の内容を説明することとなる。なお、(1)は貸借対照表の表示に関する重要性の原則の適用例に該当する。

テーマ6　財務諸表論の全体構造

第13問　収益費用アプローチ・資産負債アプローチ①

重要度	B

次の文章は、会計思考である収益費用中心観と資産負債中心観との関係に関するものである。これに関連して以下の各問に答えなさい。

> 収益費用中心観(ｲ)のもとでの期間利益から、収益費用中心観のもとでは認識されるが資産負債中心観のもとでは認識されない収益・費用・資産・負債に含まれる損益を除き、資産負債中心観のもとでは認識されるが収益費用中心観のもとでは認識されない収益・費用・資産・負債に含まれる損益を加えると、資産負債中心観(ﾛ)のもとでの期間利益になるという関係にある。

1　下線部(ｲ)の収益費用中心観に関連して、以下の各問に答えなさい。

(1) 収益費用中心観について会計の目的及び計算の重点にも触れつつ簡潔に説明しなさい。

(2) 次の文章は、企業会計原則における収益及び費用の認識方法を要約したものである。下記の文章中の空欄①から③にあてはまる適切な語句を答案用紙に記入しなさい。

> 収益は［　①　］により認識される。これに対して、費用はまず［　②　］により認識され、その後、実現収益に対応する部分が［　③　］により抜き出される。

(3) 収益費用中心観における期間利益の算定方法を簡潔に説明しなさい。

2　下線部(ﾛ)の資産負債中心観に関連して、以下の各問に答えなさい。

(1) 資産負債中心観について会計の目的及び計算の重点にも触れつつ簡潔に説明しなさい。

(2) 資産負債中心観における資産及び負債の定義に照らして割引現在価値による資産及び負債の評価が妥当とされる論拠を簡潔に説明しなさい。

(3) 資産負債中心観における期間利益の算定方法を簡潔に説明しなさい。

3　修繕引当金が上記2(2)の負債の定義に該当するかどうか、その理由とともに簡潔に答えなさい。

解　答

1

(1)

収益費用中心観とは、企業の収益力を明らかにする[1]ため、収益・費用を重視する思考[2]であり、企業の損益計算を計算の重点とする[1]ものである。

(2)

①	実現主義の原則	②	発生主義の原則	③	費用収益対応の原則

(3)

収益費用中心観のもとでは、期間利益は収益と費用の差額[2]により計算される。

2

(1)

資産負債中心観とは、企業の価値を明らかにする[1]ため、資産・負債を重視する思考[2]であり、企業の純資産計算を計算の重点とする[1]ものである。

(2)

資産を経済的資源[1]、負債を経済的資源を放棄もしくは引き渡す義務またはその同等物[1]とみる資産・負債概念に立てば、当該資産・負債から生じるであろうキャッシュ・フローを現在価値に割り引いた額をもって評価[1]することで、資産・負債の本質と評価が会計理論的に一貫したものとなると考えられるため[1]である。

(3)

資産負債中心観のもとでは、期間利益は資産と負債の差額である純資産の当期増減額[2]から資本取引による増減額を排除する[2]ことにより計算される。

3

修繕の場合は操業停止や廃棄などにより将来の負担を回避することができる[3]こともあることから、負債の定義には該当しない[1]と考えられる。

【配　点】

1(1)　4点　　(2)　各1点　　(3)　2点

2(1)　4点　　(2)　4点　　(3)　4点　　**3**　4点　　合計25点

解答への道

1 (1)について

収益費用中心観（収益費用アプローチ）とは、企業の収益力を明らかにするため、収益・費用を重視する思考であり、企業の損益計算を計算の重点とするものである。

一般に、「企業会計原則」及び伝統的な会計理論が採っているアプローチが収益費用中心観である。

1 (2)について

企業の収益力を明らかにするためには適正な期間損益計算を行い、各会計期間ごとの業績を示す業績利益の算定を行わなければならない。この業績利益を算定するためには、収益・費用の認識方法として発生主義の原則が採用されるのが望ましい。発生主義の原則によれば企業の努力と成果が期間損益計算に適切に反映されることとなるためである。しかし、発生主義の原則に基づいて認識される収益は、客観性や確実性のない主観的な見積りにより計上された収益となってしまう可能性がある。企業会計原則に準拠した発生主義会計は、収益力の算定・表示を目的としつつも、算出利益は処分可能利益でなければならないという制約から、収益については発生主義の原則により認識することはできず、客観性や確実性が得られ、利益の処分可能性が充たされる実現の時点で認識する実現主義の原則が採用されることとなるのである。このこととの関連で、費用については発生主義の原則及び費用収益対応の原則により認識されるのである。

1 (3)について

収益費用中心観のもとでの期間利益（純利益）は、収益から費用を差し引くことによって求められる。すなわち、利益獲得の源泉となった収益と、その収益を獲得するために犠牲となった費用を対応させて利益を計算することにより、当該企業の収益力（企業業績）が明らかとなるのである。

2 (1)について

資産負債中心観（資産負債アプローチ）とは、企業の価値を明らかにするため、資産・負債を重視する思考であり、企業の純資産計算を計算の重点とするものである。

このような資産負債中心観の考え方は、近年、アメリカをはじめとして、国際的にも主流となっており、「税効果基準」や「金融基準」においても一部その考え方が導入されている。

2 (2)について

最近では直接金融への依存が進み、しかも金融市場がグローバル化し、大量の資金が瞬時に移動することとなったため、より一層企業への投資の関心が高まるとともに、企業の投資価値が注目され、これに応じて企業価値を表すべき貸借対照表への注目が高まってきている。こうした変化に応じて、資産・負債概念も、期間損益計算の都合から規定されるのではなく、その独自の存在価値に注目して規定されるようになる。それが「経済的資源」、「経済的資源を放棄もしくは引き渡す義務、またはその同等物」といわれる資産・負債概念である。

割引現価主義の論拠は、資産・負債の概念を「経済的資源」、「経済的資源を放棄もしくは引き渡す義務、またはその同等物」と捉えるところに求められる。つまり、資産を経済的資源、負債を経済的資源を放棄もしくは引き渡す義務またはその同等物と見る資産・負債概念に立てば、当該資産・負債から生じるであろうキャッシュ・フローを現在価値に割り引いた額をもって当該資産・負債の評価額とすることが理論上最も合理的であるといえる。

2(3)について

資産負債中心観のもとでの期間利益（包括利益）は、当該期間における純資産の増加分として求められる。企業価値を明らかにするため、純資産計算を重視する資産負債中心観のもとでは、まず純資産を求める要素となる資産・負債を適正な価値で評価することが重要となる。適正な価値で評価された資産・負債に基づいて算定された純資産こそが企業の正しい価値を表すこととなるからである。そしてその純資産の増加分、すなわち企業価値の増加分のうち資本取引の影響による増減額を排除することによって利益を計算するのである。

3について

「資産除去債務の会計処理に関する論点の整理」は、修繕引当金の負債性について、次のように規定している。

> 32. 企業会計原則注解（注18）で例示されているように、修繕に関する引当金として、工場設備などに継続的な修繕を行う企業が将来の修繕に備える引当金（修繕引当金）や、船舶、溶鉱炉など一定周期的に大規模な修繕が必要とされる特定の固定資産について計上される引当金（特別修繕引当金）がある。いずれも有形固定資産の修繕が実際に行われるのは将来においてであるが、修繕引当金は収益との対応を図るために当期の負担に属する金額を計上するための貸方項目であり、債務でない引当金として整理されてきた。
>
> 33. このような修繕引当金については、資産除去債務と類似の性格を有することから、修繕引当金と資産除去債務の関係を整理すべきとの意見もある。しかしながら、修繕引当金については、そもそも負債性を有するかどうかという論点がある。また、国際的な会計基準においては、資産除去債務は不可避的に生じるが、<u>修繕の場合は操業停止や廃棄などにより将来の負担を回避することができることもある</u>ことなどから、資産除去債務の対象となる事象は明確に定められ、修繕引当金とは区別して取り扱われている。これらを考慮して、本論点整理では、資産除去債務に焦点をあてることを優先し、有形固定資産の修繕については対象外としている。

したがって、上記の規定の下線部分に基づいて解答することとなる。

第14問　収益費用アプローチ・資産負債アプローチ②

重要度	B

利益計算に関する以下の各問に答えなさい。

問１　以下の文章は、利益計算の基本的な考え方について述べたものである。

> 期間利益は、損益計算書では収益から費用を差し引く(a)ことによって、貸借対照表では純資産の増加分から資本取引による増加分を除く(b)ことによって求められる。

１　下線部(a)の方法によって計算される期間利益と、下線部(b)の方法によって計算される期間利益は、本来一致する関係にあるといわれているが、当該関係の一般的な名称を答えなさい。

２　上記１の関係は、「金融商品に関する会計基準」の公表により成立しなくなったといわれているが、その理由についてその他有価証券の会計処理を踏まえて説明しなさい。

３　上記２を受けて、「貸借対照表の純資産の部の表示に関する会計基準」が上記１の関係を維持させるために講じた手段について簡潔に説明しなさい。

問２　以下の文章は、「包括利益の表示に関する会計基準」からの抜粋である。

> 包括利益の計算の表示
>
> 6．当期純利益(c)にその他の包括利益(d)の内訳項目を加減して包括利益(e)を表示する。

１　下線部(d)に区分して表示される具体的な項目を２つ指摘しなさい。

２　過年度に計上された下線部(d)は、投資のリスクから解放された時点で下線部(c)に振替えられることとなる。これに関して、以下の各問に答えなさい。

(1) 当該振替え手続きの一般的な名称を答えなさい。

(2) 当該振替え手続きを行うことは、下線部(c)と下線部(e)のいずれを重視する考え方と整合するか、(c)又は(e)の記号で答えなさい。

(3) 当該振替え手続きを行う場合、下線部(d)は下線部(c)に対してどのような性格を有するものと考えられるか端的に説明しなさい。

解　答

問１

１

クリーン・サープラス関係

２

クリーン・サープラス関係が成立しなくなったのは、「金融商品に関する会計基準」の導入によりその他有価証券が時価評価[3]されたが、その評価差額は基本的に損益計算書における収益・費用とされず、純資産を直接増減するものとされたため[3]である。

３

純資産の部を株主資本と株主資本以外の各項目に区分[3]することにより、損益計算書における当期純利益の額と貸借対照表における株主資本の資本取引を除く当期変動額を一致させる[3]という手段を講じたのである。

問２

１

その他有価証券評価差額金	繰延ヘッジ損益

２ (1)

リサイクリング

(別解) リサイクル

(2)

(c)

(3)

その他の包括利益は、投資のリスクから解放されるまでの間[1]の純利益に対する経過的あるいは繰延的な性格[2]を有するものと考えられる。

【配　点】

問１　１　２点　２　６点　３　６点

問２　１　各２点　２ (1)　２点　(2)　２点　(3)　３点　　合計25点

解答への道

問１

１について

通常、損益法で求められる利益と財産法で求められる利益は一致することとなる。これをクリーン・サープラス関係という。

当該関係は、複式簿記の採用により成立することとなる。複式簿記においては、収益が計上されれば、それに応じ資産の増加又は負債の減少が対照記入され、また、費用が計上されれば、それに応じ資産の減少又は負債の増加が対照記入されることとなる。言い換えれば、ストック（純資産）が増加すれば、その増加理由が収益として対照記入され、ストック（純資産）が減少すれば、その減少理由が費用として対照記入されることとなる。

よって、損益法と財産法は同じ取引を前者は抽象的側面から、後者は具体的側面から記録し、利益計算を行っているものであるため、本来両者の利益は一致することとなるのである。

２について

「金融商品に関する会計基準」の導入により、その他有価証券が時価評価されたが、その評価差額は基本的に損益計算書における収益・費用とされず、純資産を直接増減するものとされた（純資産直入法）。その他有価証券の評価替えは資本取引による株主持分の払込や払出ではないにも関わらず、そこで生じた評価差額は、基本的に、損益計算書における収益・費用とされずに純資産の増減とされる。その他有価証券の時価評価に伴う評価差額が、損益計算書における収益・費用とされないのは、その他有価証券は、事業遂行上等の必要性から直ちに売買・換金を行うことには制約を伴う要素もあり、評価差額を直ちに当期の損益として処理することは適切ではないと考えられるためである。ただし、これは結果として、クリーン・サープラス関係を崩すものであった。

３について

上記２のままでは、クリーン・サープラス関係が崩れ、貸借対照表と損益計算書の連携が保たれない状況になってしまうため、「貸借対照表の純資産の部の表示に関する会計基準」では、当期純利益が資本取引を除く株主資本の変動をもたらすという関係を重視して、純資産の部を株主資本と株主資本以外の各項目に区分することとされた。

財務報告における情報開示の中で、投資の成果を表す当期純利益とこれを生み出す株主資本との関係を示すことが重要であることから、損益計算書における当期純利益の額と貸借対照表における株主資本の資本取引を除く当期変動額が一致するという関係を重視して、純資産の部を株主資本と株主資本以外の各項目に区分している。

この結果、我が国の会計基準では、変形型の連携がとられることとなった。

問2

1について

「包括利益の表示に関する会計基準」7項では、以下のように規定している。

7．その他の包括利益の内訳項目は、その内容に基づいて、その他有価証券評価差額金、繰延ヘッジ損益、為替換算調整勘定、退職給付に係る調整額等に区分して表示する。持分法を適用する被投資会社のその他の包括利益に対する投資会社の持分相当額は、一括して区分表示する。

したがって、その他有価証券評価差額金、繰延ヘッジ損益のほか、為替換算調整勘定、退職給付に係る調整額、持分法適用会社に対する持分相当額も別解として認められる。

2について

過年度に計上されたその他の包括利益が、期中に投資のリスクから解放され、純利益に振替えられる手続きを、一般に、「リサイクリング（リサイクル）」という。

リスクから解放された投資の成果である純利益を表示するためには、リサイクリングは不可欠な手続きであると考えられる。したがって、リサイクリングを行うということは、リスクから解放された投資の成果である純利益を重視していることを意味している。そのため、リスクから解放されていない投資の成果であるその他の包括利益は、投資のリスクから解放された時点に純利益に振替えることとなるため、純利益に対して経過的あるいは繰延的な性格を有するに過ぎないといえる。

これに対して、リサイクリングを行わないということは、投資のリスクからの解放に制約されない包括利益を重視している（純利益を重視していない）ことを意味している。純利益は、投資者の意思決定にとって有用なものであるが、経営者の意図や判断といった恣意性が介在するという問題点が指摘される。このリサイクリングを行わないというアプローチは、利益操作の温床となる経営者の恣意的判断をできる限り排除しようとするものである。

リサイクリングを行う	⇨	「純利益」を重視
リサイクリングを行わない	⇨	「包括利益」を重視

テーマ7　概念フレームワーク

第15問　概念フレームワーク①

重要度　B

今日の利益計算に関する以下の各問に答えなさい。

1　今日の会計では、二側面からの利益計算が行われており、一方は損益計算書から利益が計算され、他方は貸借対照表から利益の計算が行われている。

(1) 損益計算書においては、どのような利益計算が行われているのか説明しなさい。

(2) 貸借対照表においては、どのような利益計算が行われているのか説明しなさい。

(3) 上記(1)及び(2)において計算される利益は本来一致することとなるが、それを可能にするために必要とされる記帳技術の名称を答えなさい。

(4) 金融商品の時価会計導入に伴い、上記(3)の一致の関係が成立していない状況が生じていたが、「貸借対照表の純資産の部の表示に関する会計基準」(以下、「基準」という)の導入により、その関係を保つことが可能になったといわれている。そこで、「基準」ではどのような処置が講じられているのかを説明しなさい。

2　次の文章に基づいて、以下の各問に答えなさい。

財務報告において提供される情報のなかで、特に重要なのは投資の成果を表す利益情報である。

(1) 企業会計基準委員会から公表されている「討議資料　財務会計の概念フレームワーク」(以下、「フレームワーク」という)においては、財務諸表の構成要素として2つの利益を定義している。その名称を答えなさい。

(2) 「フレームワーク」では、AとBの関係について、以下のように述べている。

Aのうち、投資のリスクから解放されていない部分を除き、リサイクリングされた部分を加え…(中略)…ると、Bが求められる。

上記文章中の「リサイクリング」とはどのような内容なのか説明しなさい。

(3) 上記(2)との関連から、「フレームワーク」がA、Bいずれの利益を重視していると考えられますか。その記号を答えなさい。

解　答

1 (1)

損益計算書においては、損益法[2]により利益計算が行われる。
損益法とは、会計帳簿から収益、費用を把握し、その差額で利益を計算する方法[2]である。

(2)

貸借対照表においては、財産法[2]により利益計算が行われる。
財産法とは、会計帳簿から資産、負債を把握し、その差額で求められる期首純資産と期末純資産の差額（資本取引によるものを除く）により利益を計算する方法[2]である。

(3)

複式簿記

(4)

貸借対照表の純資産の部を株主資本と株主資本以外の各項目に区分[2]することにより、損益計算書における当期純利益と貸借対照表における資本取引を除く株主資本の当期変動額を一致させる[3]という処置が講じられている。

2 (1)

A	包括利益
B	純利益

(2)

リサイクリングとは、過年度に計上されたその他の包括利益のうち、期中に投資のリスクから解放された部分を純利益に振替える[4]ことをいう。

(3)

B

【配　点】

1 (1)　4点　(2)　4点　(3)　2点　(4)　5点

2 (1)　各2点　(2)　4点　(3)　2点　　合計25点

解答への道

1 (1)について

損益計算書は、一会計期間における経営成績を表す財務諸表である。その内容を表すためには、利益を獲得するために犠牲となった費用、その結果獲得された成果としての収益の内容をそれぞれ示した上で企業活動の成果を表す利益を計算しなければ、経営成績の内容を正しく利害関係者に伝えることはできない。このため、損益計算書においては、収益と費用の比較により計算する損益法によって利益が計算されることとなるのである。

(2)について

貸借対照表は、一定時点における財政状態、すなわちストックの時点量を表す財務諸表である。企業は経済活動を通じて、このストックの価値の増加を図っており、経営活動の結果、ストックの価値が増加していればその増加分が利益となる。したがって、経営活動によりストックの価値がどの程度増加しているのかを求めるためには財産法により利益を計算する必要がある。このため、貸借対照表においては、財産法によって利益計算が行われているのである。

(3)について

通常、損益計算書（損益法）で求められる利益と貸借対照表（財産法）で求められる利益は一致することとなる。これをクリーン・サープラス関係という。この関係を成立させるために必要とされる記帳技術が「複式簿記」である。複式簿記においては、収益が計上されれば、それに応じ資産の増加又は負債の減少が対照記入され、また、費用が計上されれば、それに応じ資産の減少又は負債の増加が対照記入されることとなる。

言い換えれば、ストック（純資産）が増加すれば、その増加理由が収益として対照記入され、ストック（純資産）が減少すれば、その減少理由が費用として対照記入されることとなる。

よって、損益法と財産法は同じ取引を前者は抽象的側面から、後者は具体的側面から利益計算を行っているものであるため、本来両者の利益は一致することとなるのである。

(4)について

上記(3)で示したとおり、損益計算書で計算された利益と貸借対照表で計算された利益は本来一致するものであるが、金融商品に関する会計基準の導入に伴い、その他有価証券に係る評価差額の純資産直入にみられるように資産の増加に伴い収益が計上されることなく直接純資産が増加するケースが生じたため、クリーン・サープラス関係が成立しない状態が生じるようになってしまった。

しかし、両者の利益が一致する関係は財務会計における情報開示において重要なものと捉えられている。このため、会社法の施行に合わせ、会計基準等を改正し、純資産の部に株主資本の部を設けることによって、クリーン・サープラス関係を成立させる処置を講じている。

これに関して「貸借対照表の純資産の部の表示に関する会計基準」では、その理由を次のように述べている。

29　財務報告における情報開示の中で、特に重要なのは、投資の成果を表す利益の情報であると考えられている。報告主体の所有者に帰属する利益は、基本的に過去の成果であるが、企業価値を評価する際の基礎となる将来キャッシュ・フローの予測やその改訂に広く用いられている。当該情報の主要な利用者であり受益者であるのは、報告主体の企業価値に関心を持つ当該報告主体の現在及び将来の所有者（株主）であると考えられるため、当期純利益とこれを生み出す株主資本は重視されることとなる。

30　平成17年会計基準では、貸借対照表上、これまでの資本の部を資産と負債との差額を示す純資産の部に代えたため、資産や負債に該当せず株主資本にも該当しないものも純資産の部に記載されることとなった。ただし、前項で示したように、株主資本を他の純資産に属する項目から区分することが適当であると考えられるため、純資産を株主資本と株主資本以外の各項目に区分することとした（第４項参照）。この結果、損益計算書における当期純利益の額と貸借対照表における株主資本の資本取引を除く当期変動額は一致することとなる。

33　平成17年会計基準では、評価・換算差額等は、払込資本ではなく、かつ、未だ当期純利益に含められていないことから、株主資本とは区別し、株主資本以外の項目とした。

平成17年会計基準の検討過程では、その他有価証券評価差額金や繰延ヘッジ損益、為替換算調整勘定などは、国際的な会計基準において、「その他包括利益累積額」として区分されているため、国際的な調和を図る観点などから、このような表記を用いてはどうかという考え方も示されたが、包括利益が開示されていない中で「その他包括利益累積額」という表記は適当ではないため、その主な内容を示すよう「評価・換算差額等」として表記することとした。なお、当委員会は平成22年６月に企業会計基準第25号「包括利益の表示に関する会計基準」（以下「企業会計基準第25号」という。）を公表し、平成24年改正の企業会計基準第25号により、当面の間、同会計基準を個別財務諸表には適用しないこととしたため、個別財務諸表上は引き続き「評価・換算差額等」として表記することとしている。

また、平成17年会計基準の公開草案に対するコメントの中には、評価・換算差額等の各項目は株主資本に含める方が妥当ではないかという意見があった。これは、その他有価証券評価差額金や為替換算調整勘定などが、資本の部に直接計上されていたことなどの理由によるものと考えられる。しかしながら、一般的に、資本取引を除く資本の変動と利益が一致するという関係は、会計情報の信頼性を高め、企業評価に役立つものと考えられている。平成17年会計基準では、当期純利益が資本取引を除く株主資本の変動をもたらすという関係を重視し、評価・換算差額等を株主資本とは区別することとした。

2(1)について

企業会計基準委員会から公表されている「討議資料　財務会計の概念フレームワーク」（以下、「フレームワーク」という）では、財務諸表の構成要素のうち、利益に関しては、「包括利益」と「純利益」の2つを定義している。

(2)について

過年度における未実現損益（利益）については、その損益を投資のリスクから解放されたときにリサイクリングする方法とリサイクリングしない方法がある。

リサイクリングする方法とは、過年度に計上されたその他の包括利益のうち、期中に投資のリスクから解放された部分を純利益に振替える方法をいう。

(3)について

「フレームワーク」においては、財務情報を表す利益として「純利益」を重視している。その理由について以下のように述べている。

21　純利益の概念を排除し、包括利益で代替させようとする動きもみられるが、この概念フレームワークでは、包括利益が純利益に代替しうるものとは考えていない。現時点までの実証研究の成果によると、包括利益情報は投資家にとって純利益情報を超えるだけの価値を有しているとはいえないからである。これに対し、純利益の情報は長期にわたって投資家に広く利用されており、その有用性を支持する経験的な証拠も確認されている。それゆえ、純利益に従来どおりの独立した地位を与えることとした。

第16問　概念フレームワーク②

重要度	B

次の文章は、「討議資料　財務会計の概念フレームワーク」（以下「概念フレームワーク」という。）の一部を抜粋したものである。これに関連する以下の各問に答えなさい。

> 投資家は不確実な［①］への期待のもとに、自らの意思で自己の資金を企業に投下する。その不確実な［②］を予測して意思決定をする際、投資家は企業が資金をどのように投資し、実際にどれだけの［②］をあげているかについての情報を必要としている。経営者に開示が求められるのは、基本的にはこうした情報である。財務報告の目的は、投資家の意思決定に資する［③］制度の一環として、投資の［④］とその［②］を測定して開示することである。
>
> 財務報告において提供される情報の中で、投資の［②］を示す利益情報は基本的に［⑤］の［②］を表すが、企業価値評価の基礎となる［①］の予測に広く用いられている。このように利益の情報を利用することは、同時に、利益を生み出す投資のストックの情報を利用することも含意している。投資の［②］の絶対的な大きさのみならず、それを生み出す投資のストックと比較した収益性（あるいは効率性）も重視されるからである。

> 資産とは、［⑥］または事象の結果として、報告主体が［⑦］している［⑧］をいう。
>
> 負債とは、［⑥］または事象の結果として、報告主体が［⑦］している［⑧］を放棄もしくは引き渡す義務、またはその同等物をいう。

1　空欄［①］から［⑧］に入る適切な用語を答えなさい。

2　「概念フレームワーク」において、最も重視されている財務会計の機能の名称を１つ答えなさい。

3　構成要素に関連する以下の各問に答えなさい。

(1) 繰延資産が上記の資産の定義を充足しているか否かについて、理由とともに説明しなさい。

(2) 修繕引当金は上記の負債の定義を充足していないと考えられるが、当該理由を説明しなさい。

(3) 自己創設のれんは上記の資産の定義を充足していると考えられるが、財務諸表の構成要素とはならない。当該理由を財務報告の目的の観点から説明しなさい。

4　上記の資産概念及び負債概念に立てば、本来、資産及び負債は割引現在価値で評価されるべきであり、現行制度上、「退職給付に関する会計基準」（以下「退職基準」という。）、「資産除去債務に関する会計基準」（以下「除去基準」という。）及び「固定資産の減損に係る会計基準」（以下「減損基準」という。）でもこのような会計思考が取り入れられている。

このような会計思考では、割引前の空欄［①］の見積りが問題とされるが、以下の(1)から(3)の見積りについて簡潔に説明しなさい。

(1)「退職基準」における退職給付見込額の見積り。

(2)「除去基準」における有形固定資産の除去に要する割引前の空欄［①］の見積り。

(3)「減損基準」における減損損失を認識するかどうかの判定及び使用価値の算定において見積もられる割引前の空欄［①］の見積り。

解答

1

①	将来キャッシュ・フロー	②	成果
③	ディスクロージャー	④	ポジション
⑤	過去	⑥	過去の取引
⑦	支配	⑧	経済的資源

2

情報提供機能

3 (1)

繰延資産は、収益と費用との対応という考え方等に基づいて、発生費用の一部を繰延べたもの[1]であるが、基本的に将来においてキャッシュを獲得しうる可能性がある[1]と考えられるため、資産の定義を充足している[1]と考えられる。

(2)

修繕は、操業停止や対象設備の廃棄をした場合には不要となり[1]、将来において自らの行動により回避することが可能[2]であると考えられるため、負債の定義を充足していないと考えられる。

(3)

自己創設のれんの計上は、経営者による企業価値の自己評価・自己申告を意味[1]するものであり、投資家が自己の責任において投資を行うのに必要な情報を提供するという財務報告の目的に反する[2]と考えられるためである。

4 (1)

合理的に見込まれる退職給付の変動要因を考慮[2]して見積る。

(2)

合理的で説明可能な仮定及び予測に基づく自己の支出見積り[2]による。

(3)

企業に固有の事情を反映した合理的で説明可能な仮定及び予測に基づいて[2]見積る。

【配　点】

1　各1点　　2　2点　3 (1)　3点　(2)　3点　(3)　3点

4 (1)　2点　(2)　2点　(3)　2点　　合計25点

解答への道

1について

「討議資料　財務会計の概念フレームワーク」（以下「概念フレームワーク」という。）の空所補充問題である。

> 投資家は不確実な将来キャッシュフロー①への期待のもとに、自らの意思で自己の資金を企業に投下する。その不確実な成果②を予測して意思決定をする際、投資家は企業が資金をどのように投資し、実際にどれだけの成果②をあげているかについての情報を必要としている。経営者に開示が求められるのは、基本的にはこうした情報である。財務報告の目的は、投資家の意思決定に資するディスクロージャー③制度の一環として、投資のポジション④とその成果②を測定して開示することである。
>
> 財務報告において提供される情報の中で、投資の成果②を示す利益情報は基本的に過去⑤の成果②を表すが、企業価値評価の基礎となる将来キャッシュフロー①の予測に広く用いられている。このように利益の情報を利用することは、同時に、利益を生み出す投資のストックの情報を利用することも含意している。投資の成果②の絶対的な大きさのみならず、それを生み出す投資のストックと比較した収益性（あるいは効率性）も重視されるからである。
>
> ---
>
> 資産とは、過去の取引⑥または事象の結果として、報告主体が支配⑦している経済的資源⑧をいう。
>
> 負債とは、過去の取引⑥または事象の結果として、報告主体が支配⑦している経済的資源⑧を放棄もしくは引き渡す義務、またはその同等物をいう。

2について

財務会計には主に利害調整機能と情報提供機能の２つの機能があるとされてきた。「概念フレームワーク」では、情報提供機能のみを財務報告の目的と位置づけ、利害調整機能は、財務報告の目的それ自体とはせず、目的たる情報提供が行われた上での情報の１つの利用局面の問題として整理されている。

ただし、会計情報が副次的な用途に利用されている事実は、会計基準を設定・改廃する際の制約となり、副次的な利用との関係も検討しながら、財務報告の目的の達成が図られるのである。

3(1)について

繰延資産は、収益と費用との対応という考え方や期間利益の平準化といった考え方に基づいて、発生費用の一部を繰延べたものであり、資産の定義に適合しないと指摘されることがある。

しかし、繰延資産は基本的に将来においてキャッシュを獲得しうる可能性があると考えられるため、資産の定義に当てはまることになる。

なお、繰延資産については、その廃止を含めて現在審議されている。

3(2)について

負債は、「過去の取引又は事象の結果として、報告主体が支配している経済的資源を放棄若しくは引き渡す義務、又はその同等物」と定義される。ここにいう同等物とは、例えば、法律上の義務に準ずるものが含まれる。こうした負債の定義は、義務という概念に結び付けられる点で厳格な定義となっている。

そのため、わが国の現行会計制度で貸借対照表上、負債に含められている項目の中には、この定義に当てはまらないものが存在する。具体的には、債務性のない引当金（修繕引当金など）が該当する。

修繕は操業停止や対象設備の廃棄をした場合には不要となる。従って、修繕引当金のような、将来において自らの行動により回避することが可能なものは、負債に該当しないことになると考えられる。

3(3)について

自己創設のれんとは、経営者の恣意的な判断に基づいて企業価値を評価し表現したものである。例えば、ある資産を購入した時に、その資産を利用して将来に獲得しうると経営者が判断したキャッシュ・インフローに基づいて、その資産を評価した場合に、計上されるのが自己創設のれんである。こうした自己創設のれんが財務諸表に計上されることは、証券の発行体である企業（経営者）がその証券の価値に関する自己判断を示すことを意味している。そうした自己判断を示すことは、投資者にその証券の売買を勧誘することになりかねず、また、財務報告の内容について経営者が責任を負うことも難しいと考えられる。このことは、投資者が開示された情報を利用して、将来の企業成果を予想し、現在の企業価値を評価することを否定することでもあり、投資者の自己責任を希薄化させることにも繋がることになるのである。

4について

「退職給付に関する会計基準」第18項では、以下のように規定している。

> 退職給付見込額は、合理的に見込まれる退職給付の変動要因を考慮して見積る。

「資産除去債務に関する会計基準」第６項では、以下のように規定している。

> 資産除去債務はそれが発生したときに、有形固定資産の除去に要する割引前の将来キャッシュ・フローを見積り、割引後の金額（割引価値）で算定する。
>
> (1) 割引前の将来キャッシュ・フローは、合理的で説明可能な仮定及び予測に基づく自己の支出見積りによる。その見積金額は、生起する可能性の最も高い単一の金額又は生起し得る複数の将来キャッシュ・フローをそれぞれの発生確率で加重平均した金額とする。（以下省略）

「固定資産の減損に係る会計基準」二4(1)では、以下のように規定している。

減損損失を認識するかどうかの判定に際して見積られる将来キャッシュ・フロー及び使用価値の算定において見積られる将来キャッシュ・フローは、企業に固有の事情を反映した合理的で説明可能な仮定及び予測に基づいて見積る。

したがって、上記下線部をそれぞれ解答することとなる。

テーマ8　金融基準

第17問　金融基準①

重要度　A

次の文章は「金融商品に関する会計基準」（以下「金融基準」という。）から一部抜粋したものである。以下の問に答えなさい。

> 「金融商品に関する会計基準」
>
> 金融資産及び金融負債の「時価」の定義は、時価算定会計基準第５項に従い、［　①　］において［　②　］間で秩序ある取引が行われると想定した場合の、当該取引における［　③　］によって受け取る価格又は［　④　］のために支払う価格とする。
>
> （中略）
>
> 金融資産の契約上の権利又は金融負債の契約上の義務を生じさせる［　⑤　］したときは、原則として、当該金融資産又は金融負債の発生を認識(ア)しなければならない。
>
> （中略）
>
> 時価の変動により利益を得ることを目的として保有する有価証券（以下「売買目的有価証券」という。）は、時価をもって貸借対照表価額とし、評価差額は［　⑥　］として処理する。
>
> （中略）
>
> 満期まで所有する意図をもって保有する社債その他の債券（以下「満期保有目的の債券」という。）は、取得原価(イ)をもって貸借対照表価額とする。
>
> （中略）
>
> 子会社株式及び関連会社株式は、取得原価(ウ)をもって貸借対照表価額とする。

1　空欄［　①　］から［　⑥　］に入る語句を答案用紙に記入しなさい。

2　下線部(ア)に関連し、商品等の売買又は役務の提供の対価に係る金銭債権債務の発生の認識について説明しなさい。

3　次の文章のうち「金融基準」の説明として正しいものを全て選択し、その記号（A～E）を答案用紙に記入しなさい。

A　金融資産の契約上の権利を行使したとき、権利を喪失したとき又は権利に対する支配が他に移転したときは、当該金融資産の消滅を認識しなければならない。

B　条件付きの金融資産の譲渡に係る消滅の認識については、「金融基準」では財務構成要素アプローチを採用している。

C　金融負債については、契約上の義務を履行したときにのみ消滅が認識される。

D　その他有価証券は時価をもって貸借対照表価額とし、評価差額は切り放し方式に基づき、税効果会計を適用のうえ、純資産の部に計上される。

E　ヘッジ会計の方法は、ヘッジ対象である資産又は負債に係る相場変動等を損益に反映させることにより、その損益とヘッジ手段に係る損益とを同一の会計期間に認識する方法を原則としている。

4　売買目的有価証券の時価評価差額が空欄［　⑥　］として処理される理由を「金融基準」に基づいて説明しなさい。

5　満期保有目的の債券につき下線部(イ)のように時価をもって貸借対照表価額とされない理由を説明しなさい。

6　子会社株式について下線部(ウ)のように取得原価をもって貸借対照表価額とされる理由を説明しなさい。

解答

1

①	算定日	②	市場参加者
③	資産の売却	④	負債の移転
⑤	契約を締結	⑥	当期の損益

2

商品等の売買又は役務の提供の対価に係る金銭債権債務は、一般に商品等の受渡し[1]又は役務提供の完了[1]によりその発生を認識する。

3

A　B

4

売買目的有価証券は、売却することについて事業遂行上等の制約がなく[1]、時価の変動にあたる評価差額が企業にとっての財務活動の成果[2]と考えられるためである。

5

満期保有目的の債券については、満期まで保有することによる約定利息及び元本の受取りを目的[1]としており、満期までの間の金利変動による価格変動のリスクを認める必要がない[2]ためである。

6

子会社株式については、事業投資と同じく時価の変動を財務活動の成果とは捉えない[2]という考え方に基づいているためである。

【配　点】

1　各2点　　2　2点　　3　3点（完答）　　4　3点

5　3点　　6　2点　　合計25点

解答への道

1について

「金融商品に関する会計基準」では、以下のように規定している。

> 「金融商品に関する会計基準」
>
> 金融資産及び金融負債の「時価」の定義は、時価算定会計基準第5項に従い、**算定日**①において**市場参加者**②間で秩序ある取引が行われると想定した場合の、当該取引における**資産の売却**③によって受け取る価格又は**負債の移転**④のために支払う価格とする。
>
> （中略）
>
> 金融資産の契約上の権利又は金融負債の契約上の義務を生じさせる**契約を締結**⑤したときは、原則として、当該金融資産又は金融負債の発生を認識しなければならない。
>
> （中略）
>
> 時価の変動により利益を得ることを目的として保有する有価証券（以下「売買目的有価証券」という。）は、時価をもって貸借対照表価額とし、評価差額は**当期の損益**⑥として処理する。
>
> （中略）
>
> 満期まで所有する意図をもって保有する社債その他の債券（以下「満期保有目的の債券」という。）は、取得原価をもって貸借対照表価額とする。
>
> （中略）
>
> 子会社株式及び関連会社株式は、取得原価をもって貸借対照表価額とする。

2について

「金融商品に関する会計基準」では、商品等の売買又は役務の提供の対価に係る金銭債権債務の発生の認識について、以下のように規定している。

> 55. 商品等の売買又は役務の提供の対価に係る金銭債権債務は、一般に商品等の受渡し又は役務提供の完了によりその発生を認識するが、金融資産又は金融負債自体を対象とする取引については、当該取引の契約時から当該金融資産又は金融負債の時価の変動リスクや契約の相手方の財政状態等に基づく信用リスクが契約当事者に生じるため、契約締結時においてその発生を認識することとした。
>
> したがって、有価証券については原則として約定時に発生を認識し、デリバティブ取引については、契約上の決済時ではなく契約の締結時にその発生を認識しなければならない。

したがって、上記の規定の____部分に基づいて解答することとなる。

3について

A：○

B：○

C：×　金融負債は契約上の義務を履行したとき、義務が消滅したとき又は第一次債務者の地位から免責されたときは、当該金融負債の消滅を認識しなければならない。

D：×　その他有価証券については、評価差額は洗い替え方式に基づき、全部純資産直入法等の方法により処理する。

E：×　ヘッジ会計の原則的な処理である繰延ヘッジとは、時価評価されているヘッジ手段に係る損益又は評価差額を、ヘッジ対象に係る損益が認識されるまで純資産の部において繰り延べる方法である。

4について

「金融商品に関する会計基準」では、売買目的有価証券の評価差額の処理方法について、以下のように規定している。

> 70. 時価の変動により利益を得ることを目的として保有する有価証券（売買目的有価証券）については、投資者にとっての有用な情報は有価証券の期末時点での時価に求められると考えられる。したがって、時価をもって貸借対照表価額とすることとした。また、売買目的有価証券は、<u>売却することについて事業遂行上等の制約がなく、時価の変動にあたる評価差額が企業にとっての財務活動の成果と考えられることから、その評価差額は当期の損益として処理することとした</u>。

したがって、上記の規定の____部分に基づいて解答することとなる。

5について

「金融商品に関する会計基準」では、満期保有目的の債券の貸借対照表価額について、以下のように規定している。

> 71. <u>企業が満期まで保有することを目的としていると認められる社債その他の債券（満期保有目的の債券）については、時価が算定できるものであっても、満期まで保有することによる約定利息及び元本の受取りを目的としており、満期までの間の金利変動による価格変動のリスクを認める必要がないことから、</u>原則として、償却原価法に基づいて算定された価額をもって貸借対照表価額とすることとした。

したがって、上記の規定の____部分に基づいて解答することとなる。

6について

「金融商品に関する会計基準」では、子会社株式の貸借対照表価額について、以下のように規定している。

> 73. <u>子会社株式については、事業投資と同じく時価の変動を財務活動の成果とは捉えないという考え方に基づき、取得原価をもって貸借対照表価額とすることとした</u>（以下、省

略)。

したがって、上記の規定の____部分に基づいて解答することとなる。

テーマ8 金融基準

第18問　金融基準②

重要度	B

「金融商品に関する会計基準」（以下「基準」という。）に関連して、次の各問に答えなさい。

（設問１）

1　財務諸表の構成要素が認識される契機について「討議資料　財務会計の概念フレームワーク」に基づき、説明しなさい。

2　「基準」では金融資産及び金融負債自体を対象とする取引の発生の認識について、上記１とは異なる契機を設定している。このことに関して次の各問に答えなさい。

(1)　デリバティブ取引から生じる正味の債権・債務の原則的な発生の認識時点についてそれぞれ答えなさい。

(2)　金融資産及び金融負債自体を対象とする取引の発生の認識について、上記１と異なる契機を設定している理由を答えなさい。

3　金融資産を譲渡する場合には、譲渡後において譲渡人が、譲渡資産や譲受人と一定の関係を有する場合がある。このような金融資産の消滅の認識における譲渡に係る支配の移転について、「基準」が採用している認識方法の名称を示しなさい。

（設問２）

> ヘッジ会計は、原則として、［ ① ］評価されているヘッジ手段に係る損益又は評価差額を、ヘッジ対象に係る損益が認識されるまで［ ② ］の部において繰り延べる方法による。(a)
>
> ただし、ヘッジ対象である資産又は負債に係る相場変動等を損益に反映させることにより、その損益とヘッジ手段に係る損益とを［ ③ ］に認識することもできる。(b)
>
> なお、［ ② ］の部に計上されるヘッジ手段に係る損益又は評価差額については、［ ④ ］会計を適用しなければならない。

1　空欄①～④に当てはまる適切な用語を記入しなさい。

2　下線部(a)及び(b)について次の各問に答えなさい。

(1)　ヘッジの効果を会計に反映させるための特殊な会計処理方法である、下線部(a)及び(b)の名称を示しなさい。

(2)　ヘッジ手段であるデリバティブ取引は、原則的な処理方法によれば空欄①により評価される。デリバティブ取引を空欄①により評価する理由を説明しなさい。

(3)　下線部(a)の方法において、ヘッジ手段に係る損益又は評価差額を繰り延べる構成要素が空欄②である理由を簡潔に説明しなさい。

(4)　下線部(b)の方法が採用できる具体的なヘッジ対象資産を示しなさい。

3　ヘッジ対象を外貨建金銭債権債務（予定取引に係るものではない。）、ヘッジ手段を為替予約とした場合、次の各問に答えなさい。

(1) 為替予約の処理方法のうち、原則となる方法を一般に何というか、その名称を示しなさい。

(2) 上記(1)により処理する場合には、ヘッジ会計の対象外であり、ヘッジ会計の要件を満たすか否かの判断を要さない。その理由を説明しなさい。

(3) 上記(1)とは異なる会計処理方法も認められているが、当該方法の名称を答えなさい。

解　答

（設問１）

１

構成要素の認識は、基礎となる契約の原則として少なくとも一方の履行が契機[2]となる。さらにいったん認識した資産・負債に生じた価値の変動も、新たな構成要素を認識する契機[2]となる。

２(1)

契約の締結時

(2)

金融資産又は金融負債自体を対象とする取引については、当該取引の契約時から当該金融資産又は金融負債の時価の変動リスクや契約の相手方の財政状態等に基づく信用リスクが契約当事者に生じるため[4]、契約締結時においてその発生を認識する。

３

財務構成要素アプローチ

（設問２）

１　① 時価　② 純資産　③ 同一の会計期間　④ 税効果

２(1)　下線部(a)

繰延ヘッジ

下線部(b)

時価ヘッジ

(2)

投資者及び企業双方にとって意義を有する価値はデリバティブ取引により生じる正味の債権又は債務の時価に求められると考えられるため[2]である。

(3)

繰延ヘッジ損益は、資産性又は負債性をもたないため[2]、資産と負債の差額としての純資産の部に記載する。

(4)

その他有価証券

３(1)

独立処理

(2)

ヘッジ手段である為替予約を時価評価し、ヘッジ対象である外貨建金銭債権債務を決算日レートで換算することにより[1]、損益の計上時期が一致するから[1]である。

(3)　名称

振当処理

【配　点】

（設問１）１　４点　２(1)　１点　(2)　４点　３　１点

（設問２）１　各１点　２(1)　各１点　(2)　２点　(3)　２点　(4)　１点

３(1)　１点　(2)　２点　(3)　１点　合計25点

解答への道

（設問１）

１について

「討議資料　財務会計の概念フレームワーク」財務諸表における認識と測定において、財務諸表の構成要素の認識の契機について以下のように規定している。

> ３．第３章「財務諸表の構成要素」の定義を充足した各種項目の認識は、基礎となる契約の原則として少なくとも一方の履行が契機となる。さらに、いったん認識した資産・負債に生じた価値の変動も、新たな構成要素を認識する契機となる。

２について

「金融商品に関する会計基準」（以下「金融基準」という。）において金融資産及び金融負債の発生の認識は以下のように規定している。

> 55．商品等の売買又は役務の提供の対価に係る金銭債権債務は、一般に商品等の受渡し又は役務提供の完了によりその発生を認識するが、金融資産又は金融負債自体を対象とする取引については、当該取引の契約時から当該金融資産又は金融負債の時価の変動リスクや契約の相手方の財政状態等に基づく信用リスクが契約当事者に生じるため、契約締結時においてその発生を認識することとした。
>
> 　したがって、有価証券については原則として約定時に発生を認識し、デリバティブ取引については、契約上の決済時ではなく契約の締結時にその発生を認識しなければならない。

本問では(1)のデリバティブ取引から生じる正味の債権・債務の原則的な発生の認識時点については、上記＿＿＿部分を用いて解答し、(2)の理由については、上記‐‐‐部分を用いて解答する。

３について

金融資産を譲渡する場合には、譲渡後において譲渡人が、譲渡資産や譲受人と一定の関係を有する場合がある。このような金融資産の譲渡につき消滅を認識する方法には、リスク・経済価値アプローチと財務構成要素アプローチがある。

リスク・経済価値アプローチは、金融資産のリスクと経済価値のほとんど全てが他に移転した場合に金融資産の消滅を認識する方法である。

財務構成要素アプローチは、金融資産を構成する財務構成要素に対する支配が他に移転した場合に当該移転した財務構成要素の消滅を認識し、留保される財務構成要素の存続を認識する方法である。

証券市場の発達により金融資産の流動化・証券化が進展すると、金融資産を財務構成要素に分解して取引することが多くなるものと考えられるが、リスク・経済価値アプローチでは金融資産を財務構成要素に分解して支配の移転を認識することができず、取引の実質的な経済効果が譲渡人の財務諸表に反映されないため、金融基準では財務構成要素アプローチを採用している。

（設問２）

１について

「金融基準」では、以下のように規定している。

> 32. ヘッジ会計は、原則として、**時価**①評価されているヘッジ手段に係る損益又は評価差額を、ヘッジ対象に係る損益が認識されるまで**純資産**②の部において繰り延べる方法による。
>
> ただし、ヘッジ対象である資産又は負債に係る相場変動等を損益に反映させることにより、その損益とヘッジ手段に係る損益とを**同一の会計期間**③に認識することもできる。
>
> なお、**純資産**②の部に計上されるヘッジ手段に係る損益又は評価差額については、**税効果**④会計を適用しなければならない。

２

(1)について

ヘッジ会計は、原則として、時価評価されているヘッジ手段に係る損益又は評価差額を、ヘッジ対象に係る損益が認識されるまで純資産の部において繰り延べる方法（繰延ヘッジ）による。なお、純資産の部に計上されるヘッジ手段に係る損益又は評価差額については、税効果会計を適用しなければならない。

例外的に、ヘッジ対象である資産又は負債に係る相場変動等を損益に反映させることによりその損益とヘッジ手段に係る損益とを同一の会計期間に認識することもできる（時価ヘッジ）。

よって下線部(a)は繰延ヘッジ、下線部(b)は時価ヘッジとなる。

(2)について

ヘッジ手段は、為替予約取引、スワップ取引、オプション取引等のデリバティブ取引である。なお、デリバティブ取引の評価について「金融基準」では以下のように規定している。

88. デリバティブ取引は、取引により生じる正味の債権又は債務の時価の変動により保有者が利益を得又は損失を被るものであり、投資者及び企業双方にとって意義を有する価値は当該正味の債権又は債務の時価に求められると考えられる。したがって、デリバティブ取引により生じる正味の債権及び債務については時価をもって貸借対照表価額とすることとした。

本問では、上記______部分を用いて解答する。

(3)について

時価評価されているヘッジ手段に係る損益又は評価差額を、ヘッジ対象に係る損益が認識されるまで純資産の部に繰り延べられたものを「繰延ヘッジ損益」という。繰延ヘッジ損益が純資産の部に計上される理由は「貸借対照表の純資産の部の表示に関する会計基準」において次のように規定している。

21. このような状況に鑑み、平成17年会計基準では、まず、貸借対照表上、資産性又は負債性をもつものを資産の部又は負債の部に記載することとし、それらに該当しないものは資産と負債との差額として「純資産の部」に記載することとした。この結果、報告主体の支払能力などの財政状態をより適切に表示することが可能となるものと考えられる。

―略―

22. 前項までの考え方に基づき、平成17年会計基準においては、新株予約権や非支配株主持分を純資産の部に区分して記載することとした。　―略―

23. さらに、平成17年会計基準では、貸借対照表上、これまで損益計算の観点から資産又は負債として繰り延べられてきた項目についても、資産性又は負債性を有しない項目については、純資産の部に記載することが適当と考えている。このような項目には、ヘッジ会計の原則的な処理方法における繰延ヘッジ損益（ヘッジ対象に係る損益が認識されるまで繰り延べられるヘッジ手段に係る損益又は時価評価差額）が該当する。

本問では、上記______部分を用いて解答する。なお、本問は損益又は評価差額を繰り延べる理由ではなく、繰り延べられる構成要素が純資産である理由の出題であることに留意する。

(4)について

「金融商品会計に関する実務指針」（以下「実務指針」という。）では、時価ヘッジの対象について以下のように規定している。

185. 金融商品会計基準第32項ただし書に規定された「ヘッジ対象である資産又は負債に係る相場変動等を損益に反映させることにより、その損益とヘッジ手段に係る損益とを同一の会計期間に認識する」方法は、「ヘッジ対象である資産又は負債に係る相場変動等を損益に反映させることができる場合」に適用できる。

したがって、この処理方法の適用対象は、ヘッジ対象の時価を貸借対照表価額とすることが認められているものに限定され、金融商品会計基準の規定との関係上、現時点ではその他有価証券のみであると解釈される。

上記より、該当するものは「その他有価証券」のみということができる。

3

(1)について

為替予約の原則となる会計処理方法は独立処理であり、独立処理は為替予約等を外貨建処理と独立して会計処理する方法である。

(2)について

「実務指針」では、外貨建取引に係るヘッジについて以下のように規定している。

168.原則的処理である前項①（独立処理）による場合、ヘッジ手段とヘッジ対象にそれぞれ通常の会計処理を適用することにより、ヘッジ取引の効果が自動的に損益計算書に反映される。すなわち、ヘッジ手段である為替予約等を金融商品会計基準に従って時価評価し、ヘッジ対象である外貨建金銭債権債務又は外貨建有価証券を改訂外貨基準の原則に従い決算日レートで、換算することにより、損益の計上時期が一致する。したがって、この処理を採用する場合にはヘッジ会計の対象外であり、ヘッジ会計の要件を満たすか否かの判定は要しない。　－略－

(3)について

独立処理と異なる会計処理方法は「振当処理」である。「外貨建取引等会計処理基準の改訂に関する意見書」において以下のように規定している。

2．ヘッジ会計との関係

－略－　今般、金融商品に係る会計基準においてヘッジ会計の基準が整備されたことから、外貨建取引についても、原則的には金融商品に係る会計基準におけるヘッジ会計が適用されることになる。特にそこでは、キャッシュ・フローを固定させて満期までの成果を確定する「キャッシュ・フロー・ヘッジ」の概念のもとで、時価評価損益を繰り延べてその成果を期間配分する「繰延ヘッジ」の会計処理が認められている。そのため、外貨建取引についてもキャッシュ・フロー・ヘッジと共通する考え方に基づき、為替予約等によって円貨でのキャッシュ・フローが固定されているときには、その円貨額により金銭債権債務を換算し、直物為替相場との差額を期間配分する方法（以下「振当処理」という。）が適用できることになる。このようなことから、今般の改訂では、金融商品に係る会計基準を踏まえ、為替予約等の振当処理の方法を統一することとした。なお、金融商品に係る会計基準においては、デリバティブ取引により生じる正味の債権及び債務は金融資産又は金融負債として認識することとなるが、振当処理を適用した場合には、金銭債権債務に振り当てた為替予約等は個別には認識されないこととなる。ただし、予定取引をヘッジ対象としている場合には、為替予約等の評価差額は貸借対照表に計上して繰り延べることとなる。

テーマ8
金融基準

テーマ9　リース基準

第19問　リース基準①

重要度　B

リース取引に関して以下の各問に答えなさい。解答は、答案用紙の所定の箇所に記入しなさい。

1　リース取引に関する会計処理について、以下の(1)及び(2)の問に答えなさい。

(1)「リース取引に係る会計基準」(以下「改正前基準」という。)設定前は、リース取引はその取引契約に係る法的形式に従って賃貸借取引として処理されていたが、これに関する問題点を指摘しなさい。

(2)「改正前基準」では、リース取引をファイナンス・リース取引とオペレーティング・リース取引の２つに分類した上でそれぞれの会計処理を定めている。以下の内容は「改正前基準」で定めていた借手側の会計処理である。

> イ　ファイナンス・リース取引
>
> (イ)　ファイナンス・リース取引については、原則として通常の［A］に係る方法に準じて会計処理を行う。
>
> (ロ)　ファイナンス・リース取引のうち、リース契約上の諸条件に照らしてリース物件の所有権が借手に移転すると認められるもの以外の取引については、通常の［B］に係る方法に準じて会計処理を行うことができる。
>
> ロ　オペレーティング・リース取引
>
> オペレーティング・リース取引については、通常の［B］に係る方法に準じて会計処理を行う。

①　［A］及び［B］に当てはまる用語を答えなさい。

②　「リース取引に関する会計基準」(以下「現行基準」という。)では上記イ(ロ)の取扱いが廃止されたが、その理由を２点に分けて述べなさい。

2　借手におけるリース資産及びリース債務の計上額について、以下の(1)及び(2)の問に答えなさい。

(1) リース資産及びリース債務の計上額を「現行基準」に基づいて説明しなさい。

(2) 以下の表は「現行基準」の規定を受けて「リース取引に関する会計基準の適用指針」が定めたリース資産及びリース債務の価額の決定方法を一覧表にまとめたものである。［C］～［E］に当てはまる用語を答えなさい。

<table>
<tr><td rowspan="2"></td><td colspan="2">リース物件の貸手の購入価額等</td></tr>
<tr><td>明らかな場合</td><td>明らかでない場合</td></tr>
<tr><td>所有権移転
ファイナンス・リース取引</td><td>[C]等</td><td rowspan="2">[D]と[E]の
いずれか低い方の金額</td></tr>
<tr><td>所有権移転外
ファイナンス・リース取引</td><td>[C]等と[E]の
いずれか低い方の金額</td></tr>
</table>

解　答

1

(1)

リース取引の中には、その経済的実態が、当該物件を売買した場合と同様の状態にあると認められるものがかなり増加しており[2]、かかるリース取引について、これを賃貸借取引として処理することは、その取引実態を財務諸表に的確に反映するものとはいえない[3]という点が問題点である。

(2)

①

A 売買取引　　B 賃貸借取引

②

ファイナンス・リース取引については、借手において資産及び負債を認識する必要性がある[1]。特に、いわゆるレンタルと異なり、使用の有無にかかわらず借手はリース料の支払義務を負い、キャッシュ・フローは固定されている[2]ため、借手は債務を計上すべき[1]である。

本来、代替的な処理が認められるのは、異なった経済的実態に異なる会計処理を適用することで、事実をより適切に伝えられる場合である[2]が、例外処理がほぼすべてを占める現状は、会計基準の趣旨を否定するような特異な状況であり[2]、早急に是正される必要がある。

2

(1)

リース資産及びリース債務は、原則として、リース料総額からこれに含まれている利息相当額の合理的な見積額を控除[4]して算定する。

(2)

C 貸手の購入価額

D 見積現金購入価額

E リース料総額の割引現在価値

【配　点】

1 (1)　5点　(2)①　各1点　②　各4点

2 (1)　4点　(2)　各2点　　　合計25点

解答への道

1について

(1)「リース取引に係る会計基準の設定に関する意見書　一」で、以下のように示されている。

> …一方、我が国の現行の企業会計実務においては、リース取引は、その取引契約に係る法的形式に従って、賃貸借取引として処理されている。しかしながら、リース取引の中には、その経済的実態が、当該物件を売買した場合と同様の状態にあると認められるものがかなり増加してきている。かかるリース取引について、これを賃貸借取引として処理することは、その取引実態を財務諸表に的確に反映するものとはいいがたく、このため、リース取引に関する会計処理及び開示方法を総合的に見直し、公正妥当な会計基準を設定することが、広く各方面から求められてきている。

上記下線部分を解答することとなる。

(2) ①「リース取引に係る会計基準」(以下「改正前基準」という。)において、以下のように規定している。

> 三　ファイナンス・リース取引に係る会計基準
>
> (1) ファイナンス・リース取引については、原則として通常の**売買取引**(A)に係る方法に準じて会計処理を行う。
>
> (2) ファイナンス・リース取引のうち、リース契約上の諸条件に照らしてリース物件の所有権が借手に移転すると認められるもの以外の取引については、通常の**賃貸借取引**(B)に係る方法に準じて会計処理を行うことができる。…(以下省略)
>
> 四　オペレーティング・リース取引に係る会計基準
>
> オペレーティング・リース取引については、通常の**賃貸借取引**に係る方法に準じて会計処理を行い…(以下省略)

②「リース取引に関する会計基準」(以下「現行基準」という。)では、「改正前基準三(2)」で認めてきた処理に関して以下の問題を提起しており、検討の結果、当該処理を廃止するに至っている。

> 31. 企業会計基準委員会(以下「当委員会」という。)では、この例外処理の再検討について、平成13年11月にテーマ協議会から提言を受け、平成14年7月より審議を開始した。改正前会計基準に対する当委員会の問題意識は、主として次の点であった。
>
> (1) 会計上の情報開示の観点からは、ファイナンス・リース取引については、借手において資産及び負債を認識する必要性がある。特に、いわゆるレンタルと異なり、使用の有無にかかわらず借手はリース料の支払義務を負い、キャッシュ・フローは固定されているため、借手は債務を計上すべきである。
>
> (2) 本来、代替的な処理が認められるのは、異なった経済的実態に異なる会計処理を適

用することで、事実をより適切に伝えられる場合であるが、例外処理がほぼすべてを占める現状は、会計基準の趣旨を否定するような特異な状況であり、早急に是正される必要がある。

上記(1)及び(2)の内容を解答することとなる。

2について

(1)「現行基準」では、借手におけるリース資産及びリース債務の計上額について以下のように規定している。

11. リース資産及びリース債務の計上額を算定するにあたっては、原則として、リース契約締結時に合意されたリース料総額からこれに含まれている利息相当額の合理的な見積額を控除する方法による。当該利息相当額については、原則として、リース期間にわたり利息法により配分する。

上記下線部分を解答することとなる。

(2)

	リース物件の貸手の購入価額等	
	明らかな場合	明らかでない場合
所有権移転ファイナンス・リース取引	貸手の購入価額等 C	見積現金購入価額と D リース料総額の割引現在価値 E のいずれか低い方の金額
所有権移転外ファイナンス・リース取引	貸手の購入価額等と C リース料総額の割引現在価値 E のいずれか低い方の金額	

なお、「リース取引に関する会計基準の適用指針」では、リース資産及びリース債務の計上額について、以下のように規定している。

所有権移転外ファイナンス・リース取引に係る借手の会計処理

22. リース物件とこれに係る債務をリース資産及びリース債務として計上する場合の価額は、次のとおりとする。

(1) 借手において当該リース物件の貸手の購入価額等が明らかな場合は、リース料総額（残価保証がある場合は、残価保証額を含む。）を第17項に示した割引率で割り引いた現在価値と貸手の購入価額等とのいずれか低い額による。

(2) 貸手の購入価額等が明らかでない場合は、(1)に掲げる現在価値と見積現金購入価額とのいずれか低い額による。

所有権移転ファイナンス・リース取引に係る借手の会計処理

37. リース物件とこれに係る債務をリース資産及びリース債務として計上する場合の価額は、次のとおりとする。

(1) 借手において当該リース物件の貸手の購入価額等が明らかな場合は、当該価額による。

(2) 貸手の購入価額等が明らかでない場合には、第22項(2)と同様とする。なお、割安購入選択権がある場合には、第22項(1)のリース料総額にその行使価額を含める。

上記下線部分が本問の解答に該当する箇所である。

(MEMO)

第20問　リース基準②　　重要度 A

次の文章は「リース取引に関する会計基準」（以下「基準」という。）から抜粋したものである。

これに関して以下の各問に答えなさい。

> **ファイナンス・リース取引の会計処理**
>
> ファイナンス・リース取引については（A）、通常の［ ① ］に係る方法に準じて会計処理を行う（B）。
>
> 借手は、リース取引開始日に、通常の［ ① ］に係る方法に準じた会計処理により、リース物件とこれに係る債務をリース資産及びリース債務として計上する。
>
> リース資産及びリース債務の計上額を算定するにあたっては、原則として、リース契約締結時に合意された［ ② ］からこれに含まれている［ ③ ］の合理的な見積額を控除する方法による（C）。

問1　上記空欄［ ① ］～［ ③ ］に適切な語句を記入しなさい。

問2　下線部Aに分類されるための要件を２つ示すとともに、それらの内容を「基準」に基づいて説明しなさい。

問3　上記**問2**の２つの要件を満たすファイナンス・リース取引につき、下線部Bのような会計処理が行われる理由を述べなさい。

問4　下線部Cはリース資産及びリース債務をそれぞれ計上する際の原則的な計上額の算定方法である。当該算定にあたって空欄［ ③ ］が控除される理由を空欄［ ③ ］の費用化の観点から述べなさい。

問5　空欄［ ③ ］の各期の配分額は、原則としてリース債務の未返済元本残高に一定の利率を乗じて算定され、各期に配分されていく。

このように負債の発生時点で算出した現在価値を基礎として、将来キャッシュ・フローとの差額を各期に配分していくキャッシュ･フロー割引計算の方法を一般に何というか述べなさい。

問6　上記**問5**のキャッシュ･フロー割引計算の方法と異なり、毎期末ごとに新たな現在価値を計算して資産・負債の評価額とする方法で、退職給付債務等を評価する際に用いられる方法を一般に何というか述べなさい。

問7　下線部Cの処理の結果、計上されたリース資産の取得原価はある手続によって各期に配分されるが、当該手続の名称を答えるとともにその内容を説明しなさい。

問8　上記**問7**の配分方法を所有権移転ファイナンス・リース取引と所有権移転外ファイナンス・リース取引に分けて述べなさい。

解　答

問1

①	売買取引	②	リース料総額	③	利息相当額

問2

ファイナンス・リース取引に分類されるための要件は、ノンキャンセラブルとフルペイアウト[2]である。

ノンキャンセラブルとは、リース契約に基づくリース期間の中途において当該契約を解除することができないリース取引またはこれに準ずるリース取引[1]をいう。

フルペイアウトとは、借手が、当該契約に基づきリース物件からもたらされる経済的利益を実質的に享受することができ、かつ、当該リース物件の使用に伴って生じるコストを実質的に負担することとなるリース取引[1]をいう。

問3

ファイナンス・リース取引は、リース取引の借手によるリース物件の割賦購入または借入資金によるリース物件の購入取引とみることができ[2]、その経済的実態が売買取引と考えられるため[2]、通常の売買取引に係る方法に準じて会計処理を行う。

問4

リース料総額に含まれる利息相当額は、財務活動により発生[2]するものであるから、財務費用として計上すべきであるため[1]である。

問5

利息法

問6

フレッシュ・スタート法

問7

当該手続は減価償却[1]である。

減価償却とは、費用配分の原則[1]に基づいて、有形固定資産の取得原価をその耐用期間における各事業年度に費用として配分すること[1]である。

問8

所有権移転ファイナンス・リース取引

所有権移転ファイナンス・リース取引に係るリース資産の減価償却費は、自己所有の固定資産に適用する減価償却方法と同一の方法により算定[2]する。

所有権移転外ファイナンス・リース取引

所有権移転外ファイナンス・リース取引に係るリース資産の減価償却費は、原則として、リース期間を耐用年数とし、残存価額をゼロとして算定[2]する。

【配　点】

問1　各1点　　問2　4点　　問3　4点　　問4　3点

問5　2点　　問6　2点　　問7　3点　　問8　各2点　　合計25点

解答への道

問１　「リース取引に関する会計基準　９、10及び11」では次のように規定している。

> ファイナンス・リース取引については、通常の**売買取引**①に係る方法に準じて会計処理を行う。
>
> 借手は、リース取引開始日に、通常の**売買取引**①に係る方法に準じた会計処理により、リース物件とこれに係る債務をリース資産及びリース債務として計上する。
>
> リース資産及びリース債務の計上額を算定するにあたっては、原則として、リース契約締結時に合意された**リース料総額**②からこれに含まれている**利息相当額**③の合理的な見積額を控除する方法による。

問２　「リース取引に関する会計基準　５」では次のように規定している。

> 「ファイナンス・リース取引」とは、リース契約に基づくリース期間の中途において当該契約を解除することができないリース取引又はこれに準ずるリース取引で、借手が、当該契約に基づき使用する物件（以下「リース物件」という。）からもたらされる経済的利益を実質的に享受することができ、かつ、当該リース物件の使用に伴って生じるコストを実質的に負担することとなるリース取引をいう。

よって、上記下線部を中心に解答することになる。

問３　ファイナンス・リース取引は、法律上は賃貸借取引に該当することとなるが、ノンキャンセラブルおよびフルペイアウトの２つの要件を満たす取引であることから、その経済的実態は、リース取引の借手によるリース物件の割賦購入または借入資金によるリース物件の購入取引とみることができる。

よって、その経済的実態はリース物件の売買取引とみることができることから、通常の売買取引に準じた会計処理が行われることとなる。

問４　利息相当額が控除されるのは、リース料総額に含まれる利息相当額は財務活動に関連して生ずる費用であり、時の経過により発生するものであるため、発生した期間に財務費用（支払利息）として費用計上すべきものだからである。

問５　「リース取引に関する会計基準　11」では次のように規定している。

> リース資産及びリース債務の計上額を算定するにあたっては、原則として、リース契約締結時に合意されたリース料総額からこれに含まれている利息相当額の合理的な見積額を控除する方法による。当該利息相当額については、原則として、リース期間にわたり利息法により配分する。

よって、上記下線部の利息法を解答することになる。

なお、当該利息法はキャッシュ・フロー割引計算の１つの会計測定法である。当該方法は資産の取得時点または負債の発生時点で計算した現在価値を基礎として毎期末の資産・負債の評価額を計算する方法である。

なお、当該割引計算に用いる割引率は貸手の計算利子率を借手が知り得るときは当該利率とするが、知り得ない場合は借手の追加借入に適用されると合理的に見積られる利率（追加借入利率）とする。

問6　上記**問5**の方法とは異なり毎期末ごとに新たな現在価値を計算して資産・負債を評価する方法がフレッシュ・スタート法であり、退職給付債務等の割引計算の際に用いられる会計測定法である。

退職給付債務は、重要性基準の適用があるにせよ、基本的には毎期末において、再計算を行うことになる。

かかる割引計算は、当該退職給付債務を第三者が肩代わりするにあたって企業が支払わなければならない価格を測定していると考えることができる。換言すれば、退職給付債務は「清算時の公正価値」を明らかにしたものであるといってよいだろう。かくして、退職給付債務の割引計算の目的は、将来キャッシュフローの現在価値を計算することにあると同時に、それはまた債務の公正価値を把握することにもあるといえる。したがって、退職給付債務の計算は毎期末ごとに新たな現在価値を計算して負債の評価額（公正価値）を計算する方法（フレッシュ・スタート法）であるといえるのである。

問7及び問8　「リース取引に関する会計基準　12」では次のように規定している。

> 所有権移転ファイナンス・リース取引に係るリース資産の減価償却費は、自己所有の固定資産に適用する減価償却方法と同一の方法により算定する。
>
> また、所有権移転外ファイナンス・リース取引に係るリース資産の減価償却費は、原則として、リース期間を耐用年数とし、残存価額をゼロとして算定する。

よって、所有権移転ファイナンス・リース取引に係る減価償却費については上記＿＿＿部を、所有権移転外ファイナンス・リース取引に係る減価償却費については上記～～～部を解答することになる。

テーマ10　減損基準

第21問　減損基準①

重要度 A

「固定資産の減損に係る会計基準」（同基準の設定に関する意見書の前文を含め、以下「基準」という）に関する以下の各問について、答案用紙の所定の箇所に解答を記入しなさい。

1　次の文章は「基準」から抜粋したものである。以下の２つの問に答えなさい。

> 事業用の固定資産については、通常、市場平均を超える成果を期待して事業に使われているため、市場の平均的な期待で決まる［①］が変動しても、企業にとっての投資の価値がそれに応じて変動するわけではなく、また、投資の価値自体も、投資の成果である［②］が得られるまでは［③］したものではない。…
> しかし、事業用の固定資産であっても、その［④］が当初の予想よりも低下し、資産の［⑤］を帳簿価額に反映させなければならない場合がある。…これは、…［⑥］基準の下で行われる帳簿価額の［⑦］な減額である。

(1) 空欄①から⑦に適切な用語を記入しなさい。

(2) 下線部に関して、経営者が期待するこの成果は一般に何と呼ばれるか。

(3) 次の固定資産のうち、「基準」の適用対象とならないものを１つ選択し、記号で答えなさい。

【選択肢】

A　リース資産　　B　投資不動産　　C　投資有価証券

2 「基準」で示されている固定資産の減損に関する以下の２つの問に答えなさい。

(1) 減損損失の認識について、簡潔に説明しなさい。

(2) 減損損失の測定について、事業投資の２つの回収手段を示し、それに基づいて簡潔に説明しなさい。

3　上記の「基準」による減損処理には問題点があり、減損損失を正しく認識できないと言われている。その理由を説明しなさい。

解答

1 (1)

①	時価	②	キャッシュ・フロー
③	実現	④	収益性
⑤	回収可能性	⑥	取得原価
⑦	臨時的		

(2)

のれん	(別解)主観のれん、自己創設のれん

(3)

C

2 (1) 減損損失の認識

割引前将来キャッシュ・フローの総額が帳簿価額を下回る場合[3]には、減損損失を認識する。

(2) 2つの回収手段

(売却)、(使用)

減損損失の測定

帳簿価額を回収可能価額まで減額し、当該減少額を減損損失として当期の損失とする[2]。なお、回収可能価額とは、正味売却価額（売却による回収額）と使用価値(使用による回収額) のいずれか高い方の金額[2]をいう。

3

減損処理は、本来、投資期間全体を通じた投資額の回収可能性を評価し、投資額の回収が見込めなくなった時点で、将来に損失を繰り延べないために帳簿価額を減額する会計処理[2]であるにもかかわらず、「基準」では、期末の帳簿価額を将来の回収可能性に照らして見直しており、収益性の低下による減損損失を正しく認識することはできない[2]。

【配　点】

1 (1) 各1点　(2) 2点　(3) 1点

2 (1) 3点　(2) 2つの回収手段：各2点　減損損失の測定：4点

3　4点　　合計25点

解答への道

1について

(1) 「固定資産の減損に係る会計基準の設定に関する意見書」(以下、「減損意見書」という。) 三1では、以下のとおり規定している。

> 事業用の固定資産については、通常、市場平均を超える成果を期待して事業に使われているため、市場の平均的な期待で決まる時価①が変動しても、企業にとっての投資の価値がそれに応じて変動するわけではなく、また、投資の価値自体も、投資の成果であるキャッシュ・フロー②が得られるまでは実現③したものではない。…
> しかし、事業用の固定資産であっても、その収益性④が当初の予想よりも低下し、資産の回収可能性⑤を帳簿価額に反映させなければならない場合がある。…これは、…取得原価⑥基準の下で行われる帳簿価額の臨時的⑦な減額である。

上記は規定の内容であるため、基本的に一字一句正確な解答が要求される。

(2) 通常、経営者が事業投資を行うのは、市場平均を超える成果を期待しているためである。すなわち、経営者は投資の始点で投資額(市場平均の期待値である時価をもって資産に投資した金額)を上回る使用価値(当該資産の使用により見込まれる将来キャッシュ・フローの現在価値)が期待されている場合に事業投資を行うのである。

この投資額を使用価値が上回る部分がのれんである。

(3) 「減損意見書」四1では以下のように規定している。

> 本基準は、固定資産に分類される資産を対象資産とするが、そのうち、他の基準に減損処理に関する定めがある資産、例えば、「金融商品に係る会計基準」における金融資産や「税効果会計に係る会計基準」における繰延税金資産については、対象資産から除くこととした。また、前払年金費用についても、「退職給付に係る会計基準」において評価に関する定めがあるため、対象資産から除くこととする。

したがって、投資有価証券については「基準」の適用対象外となる。

2について

(1) 減損損失の認識について、「固定資産の減損に係る会計基準」(以下、「減損基準」という。) 二2(1)では以下のように規定している。

> 減損の兆候がある資産又は資産グループについての減損損失を認識するかどうかの判定は、資産又は資産グループから得られる割引前将来キャッシュ・フローの総額と帳簿価額を比較することによって行い、資産又は資産グループから得られる割引前将来キャッシュ・フローの総額が帳簿価額を下回る場合には、減損損失を認識する。

上記文章のうち、解答スペースとの関係から下線部分を解答することになる。

(2) 減損損失の測定について、「減損意見書四」２(3)では以下のように規定している。

> 減損損失を認識すべきであると判定された資産又は資産グループについては、帳簿価額を回収可能価額まで減額し、当該減少額を減損損失として当期の損失とすることとした。
>
> この場合、企業は、資産又は資産グループに対する投資を売却と使用のいずれかの手段によって回収するため、売却による回収額である正味売却価額（資産又は資産グループの時価から処分費用見込額を控除して算定される金額）と、使用による回収額である使用価値（資産又は資産グループの継続的使用と使用後の処分によって生ずると見込まれる将来キャッシュ・フローの現在価値）のいずれか高い方の金額が固定資産の回収可能価額になる。…

したがって、「２つの回収手段」は、売却と使用（波線部分）になり、「減損損失の測定」は、上記文章のうち、解答スペースとの関係から下線部分（実線部分）を解答することになる。

３について

減損処理を投資が失敗したと考えられるときに行われる会計処理であるとするならば、本来は投資期間全体を通じた投資額の回収可能性を評価し、投資額の回収が見込めなくなった時点で、将来に損失を繰り延べないために帳簿価額を減額すべきである。

しかし、「減損基準」では、減損の兆候がある資産または資産グループについて、これらが生み出す割引前の将来キャッシュ・フローの総額がこれらの帳簿価額を下回るときには、減損の存在が相当程度に確実であるとし、そのような場合には減損損失を認識することを求めている。つまり、「減損基準」では固定資産の期末の帳簿価額が将来において回収可能かどうかを判断しているのである。

事業用固定資産の費用配分は、減価償却により、当該資産に対する投資の回収とは無関係に行われている。すなわち、事業用固定資産のキャッシュ・アウトフローの期間配分手続きである減価償却において、投資の成果であるキャッシュ・インフローが考慮されることはない。そのため、事業用固定資産の期末の帳簿価額は、当該資産に対する投資の未回収額を示すものではなく、将来において帳簿価額の回収が見込めない場合であっても、過年度の回収額を考慮すれば投資期間全体を通じて投資額の回収が見込める場合もある。例えば、需要や販売単価の変動等により、投資の成果であるキャッシュ・インフローが投資期間全体の初期に集中する場合がそうである。また、過年度の減価償却などを修正したときには、修正後の帳簿価額の回収が見込める場合もあり得る。

このように「減損基準」における固定資産の減損処理は、事業用固定資産の収益性の低下による減損損失を正しく認識できないといわれる。

第22問 減損基準②

重要度	A

「固定資産の減損に係る会計基準」(以下「基準」という。)に基づいて以下の各問に答えなさい。

1　固定資産の減損処理に関連して以下の各問に答えなさい。

(1)①　固定資産の減損処理の目的を述べなさい。

②　固定資産の減損処理について金融商品に適用されている時価評価との相違を述べなさい。

(2)①　固定資産の減損とはどのような状態であるかを述べるとともに、固定資産の減損処理について述べなさい。

②　固定資産の減損処理とは異なる思考に基づき行われると考えられる処理を次の中から1つ選び、記号で答えなさい。

イ　棚卸資産の評価減	ロ　有価証券の強制評価減
ハ　固定資産の臨時損失	ニ　繰延税金資産の評価性引当額の控除

③　固定資産の減損処理は、本来、どのような会計処理を行うべきと考えられているか、説明しなさい。

2　次の文章に関連して以下の各問に答えなさい。

> 資産又は資産グループが使用されている営業活動から生ずる損益又はキャッシュ・フローが、継続してマイナスとなっているか、あるいは継続してマイナスとなる見込みであること

(1) 上記事象等を「基準」では何と呼ぶか、名称を述べなさい。

(2) 上記事象等に該当する場合のみ、減損損失を認識するか否かの判定を行う。当該事象等に該当する場合のみ、その判定を行う理由を簡潔に述べなさい。

3　減損損失の認識に関連して以下の各問に答えなさい。

(1)「基準」では減損損失は具体的にどのような場合に認識することとされているか、説明しなさい。

(2)「基準」が採用している減損損失の認識の説明として最も妥当と考えられるものを1つ選び、記号で答えなさい。

> イ　減損が永久的に確定した場合に、減損損失を認識する。
> ロ　減損している可能性(蓋然性)が高い場合に、減損損失を認識する。
> ハ　資産の回収可能な額が帳簿価額を下回っている場合に、減損損失を認識する。

4　減損損失の測定値である回収可能価額について回収される取引形態を挙げて、説明しなさい。

解答

1 (1)①

固定資産の減損処理は取得原価基準の下で回収可能性を反映[1]させるように、事業用資産の過大な帳簿価額を減額[1]し、将来に損失を繰り延べない[1]ために行われる会計処理である。

②

固定資産の減損処理は、金融商品に適用されている時価評価とは異なり、資産価値の変動によって利益を測定することや、決算日における資産価値を貸借対照表に表示することを目的とするものではなく[2]、取得原価基準の下で行われる帳簿価額の臨時的な減額[2]である。

(2)①

固定資産の減損とは、固定資産の収益性の低下により投資額の回収が見込めなくなった状態[2]であり、減損処理とは、そのような場合に、一定の条件の下で回収可能性を反映させるように帳簿価額を減額する会計処理[2]である。

②

記　号	ハ

③

固定資産の減損処理は、本来、投資期間全体を通じた投資額の回収可能性を評価し、投資額の回収が見込めなくなった時点[2]で、将来に損失を繰り延べないために帳簿価額を減額する会計処理をすべき[1]と考えられる。

2 (1)

名　称	減損の兆候

(2)

対象資産すべてについて減損損失を認識するかどうかの判定を行うこと[1]が、実務上、過大な負担となるおそれがあることを考慮したため[1]である。

3 (1)

資産又は資産グループから得られる割引前将来キャッシュ・フローの総額が帳簿価額を下回る場合[3]に減損損失を認識する。

(2)

記　号	ロ

4

回収可能価額とは、売却による回収額である正味売却価額と使用による回収額である使用価値のいずれか高い金額[3]をいう。

【配　点】

1 (1)① 3点　② 4点　(2)① 4点　② 1点　③ 3点

2 (1) 1点　(2) 2点　3 (1) 3点　(2) 1点　4　3点　合計25点

解答への道

1について

(1)及び(2)①について

「固定資産の減損に係る会計基準」(同基準の設定に関する意見書を含め、以下「減損基準」という。）では次のように規定している。

> 【意見書】三　基本的考え方
>
> 1. －略－　しかし、事業用の固定資産であっても、その収益性が当初の予想よりも低下し、資産の回収可能性を帳簿価額に反映させなければならない場合がある。このような場合における固定資産の減損処理は、棚卸資産の評価減、固定資産の物理的な滅失による臨時損失や耐用年数の短縮に伴う臨時償却などと同様に、事業用資産の過大な帳簿価額を減額し、将来に損失を繰り延べないために行われる会計処理と考えることが適当である。これは、金融商品に適用されている時価評価とは異なり、資産価値の変動によって利益を測定することや、決算日における資産価値を貸借対照表に表示することを目的とするものではなく、取得原価基準の下で行われる帳簿価額の臨時的な減額である。
> 2. 固定資産の帳簿価額を臨時的に減額する会計処理の一つとして、臨時償却がある。臨時償却とは、減価償却計算に適用されている耐用年数又は残存価額が、予見することのできなかった原因等により著しく不合理となった場合に、耐用年数の短縮や残存価額の修正に基づいて一時に行われる減価償却累計額の修正であるが、資産の収益性の低下を帳簿価額に反映すること自体を目的とする会計処理ではないため、別途、減損処理に関する会計基準を設ける必要がある。
> 3. 固定資産の減損とは、資産の収益性の低下により投資額の回収が見込めなくなった状態であり、減損処理とは、そのような場合に、一定の条件の下で回収可能性を反映させるように帳簿価額を減額する会計処理である。－略－

(1)①については下線部分＿＿＿をもとに、(1)②については下線部分＿＿＿をもとにして解答することとなる。

(2)①については下線部分＿＿＿をもとに解答することとなる。

(2)②について

本問に挙げられた会計処理はすべて将来に損失を繰り延べない処理といえるが、思考等は以下のとおりである。

将来に損失を繰り延べない処理	原　因	会計処理方法
固定資産の臨時損失	物質的減価	簿価切下げ
固定資産の減損処理	収益性の低下 (回収不能)	
棚卸資産の評価減		
有価証券の減損処理		
繰延税金資産の評価性引当額の控除		

(2)③について

「減損基準」では次のように規定している。

【意見書】三　基本的考え方

3. 固定資産の減損とは、資産の収益性の低下により投資額の回収が見込めなくなった状態であり、減損処理とは、そのような場合に、一定の条件の下で回収可能性を反映させるように帳簿価額を減額する会計処理である。

減損処理は、本来、投資期間全体を通じた投資額の回収可能性を評価し、投資額の回収が見込めなくなった時点で、将来に損失を繰り延べないために帳簿価額を減額する会計処理と考えられるから、期末の帳簿価額を将来の回収可能性に照らして見直すだけでは、収益性の低下による減損損失を正しく認識することはできない。帳簿価額の回収が見込めない場合であっても、過年度の回収額を考慮すれば投資期間全体を通じて投資額の回収が見込める場合もあり、また、過年度の減価償却などを修正したときには、修正後の帳簿価額の回収が見込める場合もあり得るからである。

なお、減価償却などを修正して帳簿価額を回収可能な水準まで減額させる過年度修正は、現在、修正年度の損益とされている。遡及修正が行われなければ、過年度修正による損失も、減損による損失も、認識された年度の損失とされる点では同じである。したがって、当面、この部分を減損損失と区分しなくても現行の実務に大きな支障は生じない。そのため、本基準では、他の基準を適用しなければならないものを除いて、回収を見込めない帳簿価額を一纏めにして、減損の会計処理を適用することとした。

将来、過年度修正に対して遡及修正が行われるようになった場合には、本基準において減損損失に含められているもののうち、減価償却の過年度修正に該当する部分については、減価償却の修正として処理される必要があると考えられる。また、この場合には、減価償却の修正前に減損損失を認識することについて、再検討される必要がある。

上記下線部分をもとに解答することとなる。

2について

(1)について

「減損基準」では次のように規定している。本問は「減損の兆候」と解答することとなる。

【基準】二　減損損失の認識と測定

1. 減損の兆候

資産又は資産グループに減損が生じている可能性を示す事象（以下「減損の兆候」という。）がある場合には、当該資産又は資産グループについて、減損損失を認識するかどうかの判定を行う。減損の兆候としては、例えば、次の事象が考えられる。

① 資産又は資産グループが使用されている営業活動から生ずる損益又はキャッシュ・フローが、継続してマイナスとなっているか、あるいは、継続してマイナスとなる見込みであること

② 資産又は資産グループが使用されている範囲又は方法について、当該資産又は資産グループの回収可能価額を著しく低下させる変化が生じたか、あるいは、生ずる見込みであること

③ 資産又は資産グループが使用されている事業に関連して、経営環境が著しく悪化したか、あるいは、悪化する見込みであること

④ 資産又は資産グループの市場価格が著しく下落したこと

(2)について

「減損基準」では次のように規定している。

【意見書】四　会計基準の要点と考え方

2. 減損損失の認識と測定

(1) 減損の兆候

本基準では、資産又は資産グループに減損が生じている可能性を示す事象（減損の兆候）がある場合に、当該資産又は資産グループについて、減損損失を認識するかどうかの判定を行うこととした。これは、対象資産すべてについてこのような判定を行うことが、実務上、過大な負担となるおそれがあることを考慮したためである。

上記下線部分をもとに解答することとなる。

3について

(1)について

「減損基準」では次のように規定している。

【基準】二　減損損失の認識と測定

2. 減損損失の認識

(1) 減損の兆候がある資産又は資産グループについての減損損失を認識するかどうかの判定は、資産又は資産グループから得られる割引前将来キャッシュ・フローの総額と帳簿価額を比較することによって行い、資産又は資産グループから得られる割引前将来キャッシュ・フローの総額が帳簿価額を下回る場合には、減損損失を認識する。

上記下線部分をもとに解答することとなる。

(2)について

減損損失の認識については、次の３つの考え方がある。

①　永久性基準

減損が永久的に確定した場合に、減損損失を認識する。

②　蓋然性基準

減損している可能性（蓋然性）が高い場合に、減損損失を認識する。

③　経済性基準

資産の回収可能な額が帳簿価額を下回っている場合に、減損損失を認識する。

「減損基準」は、減損の存在が相当程度確実な場合に限って減損損失を認識することとしていることから、蓋然性基準を採用している。

4について

「減損基準」では次のように規定している。

【意見書】四　会計基準の要点と考え方

2. 減損損失の認識と測定

(3) 減損損失の測定

減損損失を認識すべきであると判定された資産又は資産グループについては、帳簿価額を回収可能価額まで減額し、当該減少額を減損損失として当期の損失とすることとした。

この場合、企業は、資産又は資産グループに対する投資を売却と使用のいずれかの手段によって回収するため、売却による回収額である正味売却価額（資産又は資産グループの時価から処分費用見込額を控除して算定される金額）と、使用による回収額である使用価値（資産又は資産グループの継続的使用と使用後の処分によって生ずると見込まれる将来キャッシュ・フローの現在価値）のいずれか高い方の金額が固定資産の回収可能価額になる。

上記下線部分をもとに解答することとなる。

テーマ11　棚卸資産基準

第23問　棚卸資産基準①

重要度　A

「棚卸資産の評価に関する会計基準」（以下、「基準」という。）に関して以下の各問に答えなさい。

通常の販売目的（販売するための製造目的を含む。）で保有する棚卸資産は、［①］をもって貸借対照表価額とし、期末における［②］が［①］よりも下落している場合には、当該［②］をもって貸借対照表価額とする。この場合において、［①］と当該［②］との差額は［③］として処理する。

売却市場において市場価格が観察できないときには、［④］を売価とする。（中略）

営業循環過程から外れた滞留又は処分見込等の棚卸資産について、［④］によることが困難な場合には、［②］まで切り下げる方法に代えて、その状況に応じ、次のような方法により収益性の低下の事実を適切に反映するよう処理する。

(1) 帳簿価額を［⑤］（ゼロ又は備忘価額を含む。）まで切り下げる方法

(2) 一定の回転期間を超える場合、［⑥］に帳簿価額を切り下げる方法

トレーディング目的で保有する棚卸資産については、［⑦］をもって貸借対照表価額とし、帳簿価額との差額（評価差額）は、［⑧］として処理する。

トレーディング目的で保有する棚卸資産に係る損益は、原則として、純額で［⑨］に表示する。

1　空欄［①］から［⑨］に入る適切な用語を答えなさい。

2　上記下線部について、棚卸資産の収益性の低下による簿価切下げを行う目的を説明しなさい。

3　「基準」は収益性の低下による簿価切下げにおいて、空欄［②］を、通常、取得原価と比較されるべき評価額として取り上げている。当該理由を固定資産の資金回収形態と比較しながら簡潔に説明しなさい。

4　「基準」は収益性の低下による評価損の計上において、継続使用を条件として、再調達原価の使用を認めているが、それはどのような場合か説明しなさい。

5　トレーディング目的で保有する棚卸資産について、時価評価差額を空欄［⑧］として処理する理由を説明しなさい。

解　答

1

①	取得原価	②	正味売却価額	③	当期の費用
④	合理的に算定された価額	⑤	処分見込価額	⑥	規則的
⑦	時価	⑧	当期の損益	⑨	売上高

2

収益性が低下した場合における簿価切下げは、取得原価基準の下で回収可能性を反映[1]させるように、過大な帳簿価額を減額[1]し、将来に損失を繰り延べないため[2]に行われる会計処理である。

3

棚卸資産の場合には、固定資産のように使用を通じて投下資金の回収を図ることは想定されておらず[2]、通常販売によってのみ資金の回収を図る点に特徴がある[2]ためである。

4

製造業における原材料等のように再調達原価の方が把握しやすく[2]、正味売却価額が当該再調達原価に歩調を合わせて動くと想定される場合[2]である。

5

トレーディング目的で保有する棚卸資産は、売買・換金に対して事業遂行上等の制約がなく[2]、市場価格の変動にあたる評価差額が企業にとっての投資活動の成果[2]と考えられるためである。

【配　点】

1　各1点　　2　4点　　3　4点　　4　4点　　5　4点　　合計　25点

解答への道

1について

「棚卸資産の評価に関する会計基準」（以下、「基準」という。）の空欄補充問題である。

通常の販売目的（販売するための製造目的を含む。）で保有する棚卸資産は、**取得原価**①をもって貸借対照表価額とし、期末における**正味売却価額**②が**取得原価**①よりも下落している場合には、当該**正味売却価額**②をもって貸借対照表価額とする。この場合において、**取得原価**①と当該**正味売却価額**②との差額は**当期の費用**③として処理する。 売却市場において市場価格が観察できないときには、**合理的に算定された価額**④を売価とする。（中略） 営業循環過程から外れた滞留又は処分見込等の棚卸資産について、**合理的に算定された価額**④によることが困難な場合には、**正味売却価額**②まで切り下げる方法に代えて、その状況に応じ、次のような方法により収益性の低下の事実を適切に反映するよう処理する。 (1) 帳簿価額を**処分見込価額**⑤（ゼロ又は備忘価額を含む。）まで切り下げる方法 (2) 一定の回転期間を超える場合、**規則的**⑥に帳簿価額を切り下げる方法
トレーディング目的で保有する棚卸資産については、**時価**⑦をもって貸借対照表価額とし、帳簿価額との差額（評価差額）は、**当期の損益**⑧として処理する。 トレーディング目的で保有する棚卸資産に係る損益は、原則として、純額で**売上高**⑨に表示する。

2について

「基準」第36項では、以下のように規定している。

> …棚卸資産についても収益性の低下により投資額の回収が見込めなくなった場合には、品質低下や陳腐化が生じた場合に限らず、帳簿価額を切り下げることが考えられる。<u>収益性が低下した場合における簿価切下げは、取得原価基準の下で回収可能性を反映させるように、過大な帳簿価額を減額し、将来に損失を繰り延べないために行われる会計処理である</u>。棚卸資産の収益性が当初の予想よりも低下した場合において、回収可能な額まで帳簿価額を切り下げることにより、財務諸表利用者に的確な情報を提供することができるものと考えられる。

したがって、上記下線部に基づき解答することとなる。

3について

「基準」第37項では、以下のように規定している。

> それぞれの資産の会計処理は、基本的に、投資の性質に対応して定められていると考えられることから、収益性の低下の有無についても、投資が回収される形態に応じて判断することが考えられる。<u>棚卸資産の場合には、固定資産のように使用を通じて</u>、また、債権

のように契約を通じて投下資金の回収を図ることは想定されておらず、通常、販売によってのみ資金の回収を図る点に特徴がある。このような投資の回収形態の特徴を踏まえると、評価時点における資金回収額を示す棚卸資産の正味売却価額が、その帳簿価額を下回っているときには、収益性が低下していると考え、帳簿価額の切下げを行うことが適当である。

したがって、上記下線部に基づき解答することとなる。本問では固定資産の資金回収形態にも触れながら解答しなければならないことに留意すること。

4について

「基準」第10項では、以下のように規定している。

製造業における原材料等のように再調達原価の方が把握しやすく、正味売却価額が当該再調達原価に歩調を合わせて動くと想定される場合には、継続して適用することを条件として、再調達原価（最終仕入原価を含む。以下同じ。）によることができる。

したがって、上記下線部に基づき解答することとなる。

5について

「基準」第60項では、以下のように規定している。

当初から加工や販売の努力を行うことなく単に市場価格の変動により利益を得るトレーディング目的で保有する棚卸資産については、投資者にとっての有用な情報は棚卸資産の期末時点の市場価格に求められると考えられることから、時価をもって貸借対照表価額とすることとした。その場合、活発な取引が行われるよう整備された、購買市場と販売市場とが区別されていない単一の市場（例えば、金の取引市場）の存在が前提となる。また、そうした市場でトレーディングを目的に保有する棚卸資産は、売買・換金に対して事業遂行上等の制約がなく、市場価格の変動にあたる評価差額が企業にとっての投資活動の成果と考えられることから、その評価差額は当期の損益として処理することが適当と考えられる。

したがって、上記下線部に基づき解答することとなる。

第24問 棚卸資産基準②

重要度 B

次の記述は、「討議資料　財務会計の概念フレームワーク」（以下、「概念フレームワーク」という。）からの抜粋である。これに関連して、「概念フレームワーク」及び「棚卸資産の評価に関する会計基準」（以下、「棚卸資産基準」という。）に基づき以下の各問に答えなさい。

> 投資の成果がリスクから解放されるというのは、投資にあたって期待された成果が［①］として確定することをいうが、特に事業投資については、事業のリスクに拘束されない［②］を獲得したとみなすことができるときに、投資のリスクから解放されると考えられる。（中略）これに対して、事業の目的に拘束されず、保有資産の値上りを期待した金融投資に生じる［③］は、そのまま期待に見合う［①］として、リスクから解放された投資の成果に該当する。

1　上記の記述の空欄［①］から［③］に適切な語句を記入しなさい。

2 (1)　事業投資目的の資産の測定値として適切なものはなにか、指摘しなさい。

(2)　通常の販売目的で保有する棚卸資産は事業投資目的の資産と考えられるが、上記 2 (1)の測定値を用いて貸借対照表価額の決定を行わない場合がある。それはどのような場合か、また、その場合の貸借対照表価額について述べなさい。

(3)　通常の販売目的で保有する棚卸資産につき、上記 2 (2)のように貸借対照表価額の決定を行うのはなぜか、述べなさい。

(4)　通常の販売目的で保有する棚卸資産につき、上記 2 (2)のように貸借対照表価額の決定を行うと、差額が生じる。当該差額の取扱いについて述べなさい。なお、開示についても述べることとする。ただし、切放し法を前提とし、また、棚卸資産の製造に関連し不可避的に発生すると認められるもの及び臨時の事象に起因し、かつ、多額であるものの開示について述べる必要はない。

(5)　上記 2 (4)の差額がなぜそのように取り扱われるのか、理由を述べなさい。

3 (1)　トレーディング目的で保有する棚卸資産は金融投資目的の資産と考えられる。トレーディング目的で保有する棚卸資産の貸借対照表価額について述べなさい。

(2)　トレーディング目的で保有する棚卸資産につき、上記 3 (1)のように貸借対照表価額の決定を行うのはなぜか、述べなさい。

(3)　トレーディング目的で保有する棚卸資産につき、上記 3 (1)のように貸借対照表価額の決定を行うと、差額が生じる。当該差額の取扱いについて述べなさい。なお、開示について述べる必要はない。

(4)　上記 3 (3)の差額がなぜそのように取り扱われるのか、理由を述べなさい。

解　答

1

①	事実	②	独立の資産	③	価値の変動

2 (1)

取得原価

(2)

期末における正味売却価額が取得原価よりも下落している場合[2]には、当該正味売却価額をもって貸借対照表価額[1]とする。

(3)

期末における正味売却価額が取得原価よりも下落している場合、すなわち収益性が低下した場合に棚卸資産の簿価切下げを行うのは、取得原価基準の下で回収可能性を反映させる[1]ように、過大な帳簿価額を減額[1]し、将来に損失を繰り延べない[2]ためである。

(4)

当該差額は当期の費用[1]として処理し、売上原価[1]として取り扱う。

(5)

企業が通常の販売目的で保有する棚卸資産について、収益性が低下した場合の簿価切下額は、販売活動を行う上で不可避的に発生したものであるため[2]、売上高に対応する売上原価として扱うことが適当と考えられる。

3 (1)

トレーディング目的で保有する棚卸資産については、時価をもって貸借対照表価額[2]とする。

(2)

トレーディング目的で保有する棚卸資産については、投資者にとっての有用な情報は棚卸資産の期末時点の市場価格に求められると考えられる[3]ことから、時価をもって貸借対照表価額とする。

(3)

当該差額（評価差額）は 当期の損益[2]として処理する。

(4)

トレーディングを目的に保有する棚卸資産は、売買・換金に対して事業遂行上等の制約がなく[2]、市場価格の変動にあたる評価差額が企業にとっての投資活動の成果[1]と考えられることから、その評価差額は当期の損益として処理する。

【配　点】

1　各1点　　2 (1)　1点　(2)　3点　(3)　4点　(4)　2点　(5)　2点

3 (1)　2点　(2)　3点　(3)　2点　(4)　3点　　合計25点

解答への道

1について

「討議資料　財務会計の概念フレームワーク」(以下､「概念フレームワーク」という。) のうち、投資のリスクからの解放について記述した内容からの空所補充問題である。

> 投資の成果がリスクから解放されるというのは、投資にあたって期待された成果が事実①として確定することをいうが、特に事業投資については、事業のリスクに拘束されない独立の資産②を獲得したとみなすことができるときに、投資のリスクから解放されると考えられる。(中略) これに対して、事業の目的に拘束されず、保有資産の値上りを期待した金融投資に生じる価値の変動③は、そのまま期待に見合う事実①として、リスクから解放された投資の成果に該当する。

2 (1)について

有形固定資産や棚卸資産といった事業投資目的の資産の場合、事前に期待された成果に対応する事実は、時価の変動ではなく、事業の遂行を通じた事業のリスクに拘束されない独立の資産（キャッシュ・フロー）の獲得であるため、当該事実によって投資のリスクからの解放を捉えることとなる。

したがって、事業投資目的の資産については、それを保有する期間は一般に取得原価で評価される。

2 (2)について

「棚卸資産の評価に関する会計基準」(以下､「棚卸資産基準」という。) では、以下のように規定している。

> 7．通常の販売目的（販売するための製造目的を含む。）で保有する棚卸資産は、取得原価をもって貸借対照表価額とし、期末における正味売却価額が取得原価よりも下落している場合には、当該正味売却価額をもって貸借対照表価額とする。この場合において、取得原価と当該正味売却価額との差額は当期の費用として処理する。

本問では、通常の販売目的で保有する棚卸資産につき、取得原価をもって貸借対照表価額を決定しない場合について問われている。したがって、上記＿＿部分を解答することとなる。

2 (3)について

「棚卸資産基準」では、以下のように規定している。

> 36.（略）棚卸資産についても収益性の低下により投資額の回収が見込めなくなった場合には、品質低下や陳腐化が生じた場合に限らず、帳簿価額を切り下げることが考えられる。収益性が低下した場合における簿価切下げは、取得原価基準の下で回収可能性を反映させるように、過大な帳簿価額を減額し、将来に損失を繰り延べないために行われる会計処理である。棚卸資産の収益性が当初の予想よりも低下した場合において、回収可能な額まで帳簿価額を切り下げることにより、財務諸表利用者に的確な情報を提供する

ことができるものと考えられる。

したがって、上記____部分を中心に、問題に即した解答をすることとなる。

2(4)について

「棚卸資産基準」では、以下のように規定している。

> 7．通常の販売目的（販売するための製造目的を含む。）で保有する棚卸資産は、取得原価をもって貸借対照表価額とし、期末における正味売却価額が取得原価よりも下落している場合には、当該正味売却価額をもって貸借対照表価額とする。この場合において、<u>取得原価と当該正味売却価額との差額は当期の費用として処理する</u>。
>
> 17．<u>通常の販売目的で保有する棚卸資産について、収益性の低下による簿価切下額</u>（前期に計上した簿価切下額を戻し入れる場合には、当該戻入額相殺後の額）<u>は売上原価とする</u>が、棚卸資産の製造に関連し不可避的に発生すると認められるときには製造原価として処理する。また、収益性の低下に基づく簿価切下額が、臨時の事象に起因し、かつ、多額であるときには、特別損失に計上する。(以下略)

なお、「棚卸資産基準」第17項は、「通常の販売目的で保有する棚卸資産の収益性の低下に係る損益の表示」についての規定である。本問では、開示についても問われているため、通常の販売目的で保有する棚卸資産の簿価切下げを行った場合の取得原価と正味売却価額との差額につき、当期の費用として処理し、売上原価として取り扱うことについても言及することとなる。したがって、上記____部分に基づき解答することとなる。

2(5)について

「棚卸資産基準」では、以下のように規定している。

> 62．<u>企業が通常の販売目的で保有する棚卸資産について、収益性が低下した場合の簿価切下額は、販売活動を行う上で不可避的に発生したものであるため、売上高に対応する売上原価として扱うことが適当と考えられる</u>。

したがって、上記____部分を解答することとなる。

3(1)について

「棚卸資産基準」では、以下のように規定している。

> 15．<u>トレーディング目的で保有する棚卸資産については、時価をもって貸借対照表価額とし</u>、帳簿価額との差額（評価差額）は、当期の損益として処理する。

したがって、上記____部分を解答することとなる。

3(2)について

「棚卸資産基準」では、以下のように規定している。

> 60．当初から加工や販売の努力を行うことなく単に市場価格の変動により利益を得る<u>トレーディング目的で保有する棚卸資産については、投資者にとっての有用な情報は棚卸資</u>

産の期末時点の市場価格に求められると考えられることから、時価をもって貸借対照表価額とすることとした。(以下略)

したがって、上記＿＿部分を解答することとなる。

3 (3)について

「棚卸資産基準」では、以下のように規定している。

15. トレーディング目的で保有する棚卸資産については、市場価格に基づく価額をもって貸借対照表価額とし、帳簿価額との差額（評価差額）は、当期の損益として処理する。

したがって、上記＿＿部分を解答することとなる。

3 (4)について

「棚卸資産基準」では、以下のように規定している。

60. 当初から加工や販売の努力を行うことなく単に市場価格の変動により利益を得るトレーディング目的で保有する棚卸資産については、投資者にとっての有用な情報は棚卸資産の期末時点の市場価格に求められると考えられることから、時価をもって貸借対照表価額とすることとした。その場合、活発な取引が行われるよう整備された、購買市場と販売市場とが区別されていない単一の市場（例えば、金の取引市場）の存在が前提となる。また、そうした市場でトレーディングを目的に保有する棚卸資産は、売買・換金に対して事業遂行上等の制約がなく、市場価格の変動にあたる評価差額が企業にとっての投資活動の成果と考えられることから、その評価差額は当期の損益として処理することが適当と考えられる。

したがって、上記＿＿部分を解答することとなる。

(MEMO)

テーマ12　研究開発基準

第25問　研究開発基準

重要度　B

「研究開発費等に係る会計基準」（同基準に係る会計基準の設定に関する意見書、研究開発及びソフトウェアの会計処理に関する実務指針を含め、以下、「基準」という。）に関連して、答案用紙の所定の箇所に解答を記入しなさい。

1　下記に示した各項目のうち、「研究開発」に含まれる典型例を３つ選択し、その記号（イ～チ）で答えなさい。

イ　品質管理活動や完成品の製品検査に関する活動
ロ　既存製品の不具合などの修正に係る設計変更及び仕様変更
ハ　製品の品質改良、製造工程における改善活動
ニ　従来にはない製品、サービスに関する発想を導き出すための調査・探究
ホ　新製品の試作品の設計・製作及び実験
ヘ　特許権や実用新案権の出願などの費用
ト　取得した特許を基にして販売可能な製品を製造するための技術的活動
チ　外国などからの技術導入により製品を製造することに関する活動

2　「基準」では、研究開発費に関して、「すべて発生時に費用として処理しなければならない。」と規定しているが、当該理由を２つ説明しなさい。

3　市場販売目的のソフトウェアに関する以下の各問に答えなさい。

市場販売目的のソフトウェアである製品マスターの制作費は、［①］に該当する部分を除き、資産として計上しなければならない。ただし、製品マスターの［②］に要した費用は、資産として計上してはならない。

(1)　上記空欄［①］及び［②］に適切な用語を記入しなさい
(2)　製品マスターが無形固定資産として処理される根拠のうち、「製品マスターは、それ自体が販売の対象ではないこと」以外の根拠を３つ挙げなさい。
(3)　制作途中のソフトウェアについて、どのような会計処理がなされるか簡潔に説明しなさい。

解答

1

ニ	ホ	ト

2

研究開発費は、発生時には将来の収益を獲得できるか否か不明2であり、また、研究開発計画が進行し、将来の収益の獲得期待が高まったとしても、依然としてその獲得が確実であるとはいえない2からである。

資産計上の要件を定める場合にも、客観的に判断可能な要件を規定することは困難2であり、抽象的な要件のもとで資産計上を行うことは、企業間の比較可能性を損なう2こととなるからである。

3

(1)

①	研究開発費	②	機能維持

(2)

製品マスターは、機械装置等と同様にこれを利用（複写）して製品を作成するものであること。
製品マスターは、法的権利（著作権）を有していること。
製品マスターは、適正な原価計算により取得原価を明確化できること。

(3)

制作途中のソフトウェアについては、無形固定資産の仮勘定として計上する。

【配　点】

1　各1点　　2　各4点　　3 (1)　各1点　(2)　各3点　(3)　3点　　　合計25点

解答への道

1について

「研究開発費及びソフトウェアの会計処理に関する実務指針」２において、研究開発に該当するものの具体例について、以下のように規定している。

> **①　従来にはない製品、サービスに関する発想を導き出すための調査・探究**
> ②　新しい知識の調査・探究の結果を受け、製品化又は業務化等を行うための活動
> ③　従来の製品に比較して著しい違いを作り出す製造方法の具体化
> ④　従来と異なる原材料の使用方法又は部品の製造方法の具体化
> ⑤　既存の製品、部品に係る従来と異なる使用方法の具体化
> ⑥　工具、治具、金型等について、従来と異なる使用方法の具体化
> **⑦　新製品の試作品の設計・製作及び実験**
> ⑧　商業生産化するために行うパイロットプラントの設計、建設等の計画
> **⑨　取得した特許を基にして販売可能な製品を製造するための技術的活動**

したがって、本問においては、「ニ・ホ・ト」の３つを選択することとなる。

2について

「研究開発費等に係る会計基準の設定に関する意見書」三２では、以下のように規定している。

> 研究開発費は、発生時には将来の収益を獲得できるか否か不明であり、また、研究開発計画が進行し、将来の収益の獲得期待が高まったとしても、依然としてその獲得が確実であるとはいえない。そのため、研究開発費を資産として貸借対照表に計上することは適当でないと判断した。
>
> また、仮に、一定の要件を満たすものについて資産計上を強制する処理を採用する場合には、資産計上の要件を定める必要がある。しかし、実務上客観的に判断可能な要件を規定することは困難であり、抽象的な要件のもとで資産計上を求めることとした場合、企業間の比較可能性が損なわれるおそれがあると考えられる。
>
> したがって、研究開発費は発生時に費用として処理することとした。

したがって、上記下線部＿＿＿及び＿＿＿に基づいて解答することとなる。

3 (1)について

「研究開発費等に係る会計基準」四２の空欄補充問題である。

> 市場販売目的のソフトウェアである製品マスターの制作費は、研究開発費(①)に該当する部分を除き、資産として計上しなければならない。ただし、製品マスターの機能維持(②)に要した費用は、資産として計上してはならない。

3 (2)について

「研究開発費等に係る会計基準の設定に関する意見書」三３では、以下のように規定して

いる。

> ロ　研究開発終了後のソフトウェア制作費の取扱い
>
> 製品マスター又は購入したソフトウェアの機能の改良・強化を行う制作活動のための費用は、著しい改良と認められない限り、資産に計上しなければならない。なお、バグ取り等、機能維持に要した費用は、機能の改良・強化を行う制作活動には該当せず、発生時に費用として処理することとなる。製品マスターは、それ自体が販売の対象物ではなく、機械装置等と同様にこれを利用（複写）して製品を作成すること、製品マスターは法的権利（著作権）を有していること及び適正な原価計算により取得原価を明確化できることから、当該取得原価を無形固定資産として計上することとした。

したがって、上記下線部＿＿＿に基づいて解答することとなる。なお、問題文の指示により、「製品マスターは、それ自体が販売の対象ではないこと」についての解答は不要である。

3 (3)について

「研究開発費等に係る会計基準注解（注４）」では、以下のように規定している。

> 制作途中のソフトウェアの制作費については、無形固定資産の仮勘定として計上することとする。

したがって、上記規定に基づいて解答することとなる。

(MEMO)

テーマ13　退職給付基準・資産除去債務基準

第26問　退職給付基準

重要度	A

次の文章は「退職給付に関する会計基準」（以下、「平成24年改正基準」という。）から抜粋したものである。これに関して、以下の各問に答えなさい。なお、解答にあたっては、国際的な会計基準とのコンバージェンスについて指摘する必要はない。

> 退職給付債務から年金資産の額を控除した額（以下「［①］」という。）を負債として計上する。
>
> ただし、年金資産の額が退職給付債務を超える場合には、資産として計上する。
>
> （中　略）
>
> 退職給付債務は、退職により見込まれる退職給付の総額（以下「［②］」という。）のうち、<u>［③］していると認められる額を</u>(a)［④］計算する。
>
> （中　略）
>
> <u>年金資産</u>(b)の額は、期末における時価（公正な評価額）により計算する。
>
> 期待運用収益は、期首の年金資産の額に合理的に期待される収益率（［⑤］）を乗じて計算する。
>
> （中　略）
>
> 数理計算上の差異は、原則として各期の発生額について、予想される退職時から現在までの平均的な期間（以下「平均残存勤務期間」という。）以内の一定の年数で按分した額を毎期費用処理する。
>
> また、当期に発生した未認識数理計算上の差異は税効果を調整の上、<u>その他の包括利益を通じて［⑥］の部に計上する</u>(c)。
>
> （中　略）
>
> ［①］について、負債となる場合は「［⑦］」等の適当な科目をもって固定負債に計上し、資産となる場合は「［⑧］」等の適当な科目をもって固定資産に計上する。
>
> （以下省略）

1　空欄［①］から［⑧］に入る適切な用語を答えなさい。

2　空欄［②］の見積りについて、簡潔に説明しなさい。

3　下線部(a)の計算方法について、以下の問に答えなさい。

(1)「平成24年改正基準」で示されている計算方法の名称を２つ答えなさい。

(2) 仮に、従業員の勤続年数の増加に応じて労働サービスが向上することを前提とするのであれば、上記(1)であなたが解答した計算方法のうち、いずれの方法を選択することが妥当であると考えられるか、その計算方法の名称を答えなさい。

4　下線部(b)が退職給付債務から控除され、貸借対照表に計上されない理由を「平成24年改正基準」に基づいて説明しなさい。

5　「退職給付に係る会計基準」(改正前基準）では、未認識数理計算上の差異について、貸借対照表に計上せず、これに対応する部分を除いた、空欄［　①　］を負債（又は資産）として計上することとしていた。

「平成24年改正基準」においては、未認識数理計算上の差異について、下線部(c)のように処理することとされ、空欄［　①　］をそのまま負債（又は資産）として計上することとされたが、当該理由を負債（又は資産）の計上の観点から説明しなさい。

なお、個別財務諸表上の取扱いに関する言及は不要である。

6　数理計算上の差異の取扱いについては、退職給付債務の数値を毎期末時点において厳密に計算し、その結果生じた計算差異に一定の許容範囲を設ける方法と、基礎率等の計算基礎に重要な変動が生じない場合には計算基礎を変更しない等、計算基礎の決定にあたって合理的な範囲で重要性による判断を認める方法が考えられる。それぞれの方法の名称を「基準」に基づいて答えなさい。なお、「基準」で採用されている方法の名称を、答案用紙の「方法①」の欄に記入すること。

解答

1

①	積立状況を示す額	②	退職給付見込額
③	期末までに発生	④	割り引いて
⑤	長期期待運用収益率	⑥	純資産
⑦	退職給付に係る負債	⑧	退職給付に係る資産

2

退職給付見込額は、合理的[1]に見込まれる退職給付の変動要因を考慮[2]して見積る。

3 (1)

①	期間定額基準	②	給付算定式基準

(2)

給付算定式基準

4

年金資産は退職給付の支払のためのみに使用されることが制度的に担保[1]されていることなどから、これを収益獲得のために保有する一般の資産と同様に企業の貸借対照表に計上することには問題があり[1]、かえって、財務諸表の利用者に誤解を与えるおそれがあると考えられる[1]ためである。

5

一部が除かれた積立状況を示す額を貸借対照表に計上する場合、積立超過のときに負債（退職給付引当金）が計上[2]されたり、積立不足のときに資産（前払年金費用）が計上[2]されたりすることがあり得るなど、退職給付制度に係る状況について財務諸表利用者の理解を妨げているのではないかという指摘があった[1]ためである。

6

方法①	重要性基準
方法②	回廊アプローチ

【配　点】

1　各１点　　2　３点　　3 (1)　各２点（順不同）　(2)　１点

4　３点　　5　５点　　6　１点（完答）　　合計25点

解答への道

1について

「退職給付に関する会計基準」（以下、「基準」という）第13項、16項、22項、23項、24項及び27項の空欄補充問題である。

退職給付債務から年金資産の額を控除した額（以下「積立状況を示す額①」という。）を負債として計上する。

ただし、年金資産の額が退職給付債務を超える場合には、資産として計上する。

（中　略）

退職給付債務は、退職により見込まれる退職給付の総額（以下「退職給付見込額②」という。）のうち、期末までに発生③していると認められる額を割り引いて④計算する。

（中　略）

年金資産の額は、期末における時価（公正な評価額）により計算する。

期待運用収益は、期首の年金資産の額に合理的に期待される収益率（長期期待運用収益率⑤）を乗じて計算する。

（中　略）

数理計算上の差異は、原則として各期の発生額について、予想される退職時から現在までの平均的な期間（以下「平均残存勤務期間」という。）以内の一定の年数で按分した額を毎期費用処理する。

また、当期に発生した未認識数理計算上の差異は税効果を調整の上、その他の包括利益を通じて純資産⑥の部に計上する。

（中　略）

積立状況を示す額①について、負債となる場合は「退職給付に係る負債⑦」等の適当な科目をもって固定負債に計上し、資産となる場合は「退職給付に係る資産⑧」等の適当な科目をもって固定資産に計上する。

（以下省略）

2について

「基準」第18項では、退職給付見込額の見積りについて、以下のように規定している。

退職給付見込額は、合理的に見込まれる退職給付の変動要因を考慮して見積る。

したがって、上記の内容を解答することとなる。なお、本問では退職給付見込額の見積りについて簡潔に解答することが求められていることから、変動要因の具体例について言及する必要はない。

3 (1)について

「基準」第19項では、退職給付見込額の期間帰属について、以下のように規定している。

退職給付見込額のうち期末までに発生したと認められる額は、次のいずれかの方法を選択適用して計算する。この場合、いったん採用した方法は、原則として、継続して適用しなければならない。

(1) 退職給付見込額について全勤務期間で除した額を各期の発生額とする方法（以下「期間定額基準」という。）

(2) 退職給付制度の給付算定式に従って各勤務期間に帰属させた給付に基づき見積った額を、退職給付見込額の各期の発生額とする方法（以下「給付算定式基準」という。）

なお、この方法による場合、勤務期間の後期における給付算定式に従った給付が、初期よりも著しく高い水準となるときには、当該期間の給付が均等に生じるとみなして補正した給付算定式に従わなければならない。

3(2)について

「基準」第62項では、以下のように規定している。

一方、期間定額基準を廃止すべきという意見は、この方法の採用の経緯を踏まえれば、これを改めて支持する根拠を欠くという考え方に基づいている。また、勤続年数の増加に応じた労働サービスの向上を踏まえれば、毎期の費用を定額とする期間定額基準よりも、給付算定式に従って費用が増加するという取扱いの方が実態をより表すものであり、勤務をしても給付が増加されない状況（定年直前に給付額が頭打ちになる場合や、将来給付すべての減額の場合など）でも費用を認識する場合がある点で期間定額基準は妥当でないという考え方や、給付算定式に従う給付が著しく後加重である場合など、勤務期間を基礎とする費用配分が適当な状況があるとしても、すべての勤務期間について配分する必要はないという考え方にも基づいている。このほか、退職給付債務の計算は給付算定式を基礎とすべきであり、これと直接関連しない測定値となる期間定額基準は妥当でないという考え方もある。

したがって、従業員の勤続年数の増加に応じて労働サービスが向上することを前提とするのであれば、「給付算定式基準」を選択することが妥当であると考えられる。

4について

「基準」第69項では、年金資産が退職給付債務から控除され、貸借対照表に計上されない理由について、以下のように規定している。

企業年金制度を採用している企業などでは、退職給付に充てるため外部に積み立てられている年金資産が存在する。この年金資産は退職給付の支払のためのみに使用されることが制度的に担保されていることなどから、これを収益獲得のために保有する一般の資産と同様に企業の貸借対照表に計上することには問題があり、かえって、財務諸表の利用者に誤解を与えるおそれがあると考えられる。また国際的な会計基準においても年金資産を直接貸借対照表に計上せず、退職給付債務からこれを控除することが一般的である。したがって、年金資産の額は退職給付に係る負債の計上額の計算にあたって差し引くこととしている。この場合、年金資産の額が退職給付債務の額を上回る場合には、退職給付に係る資産として貸借対照表に計上することになる。

したがって、上記下線部に基づいて解答することとなる。

5について

「基準」第55項では、未認識数理計算上の差異をその他の包括利益を通じて純資産の部に計上し、積立状況を示す額をそのまま負債（又は資産）として計上する理由について、以下のように述べられている。

平成10年会計基準は、数理計算上の差異及び過去勤務費用を平均残存勤務期間以内の一定の年数で規則的に処理することとし、費用処理されない部分（未認識数理計算上の差異及び未認識過去勤務費用）については貸借対照表に計上せず、これに対応する部分を除いた、積立状況を示す額を負債（又は資産）として計上することとしていた。しかし、一部が除かれた積立状況を示す額を貸借対照表に計上する場合、積立超過のときに負債（退職給付引当金）が計上されたり、積立不足のときに資産（前払年金費用）が計上されたりすることがあり得るなど、退職給付制度に係る状況について財務諸表利用者の理解を妨げているのではないかという指摘があった。

このため、平成24年改正会計基準では、国際的な会計基準も参考にしつつ検討を行い、未認識数理計算上の差異及び未認識過去勤務費用を、税効果を調整の上、純資産の部（その他の包括利益累計額）に計上することとし、積立状況を示す額をそのまま負債（又は資産）として計上することとした。なお、個別財務諸表においては、当面の間、これらの取扱いを適用しないことに留意が必要である。

したがって、上記下線部に基づいて解答することとなる。

6について

「基準」第67項では、数理計算上の差異の取扱いについて、以下のように述べられている。

退職給付意見書及び平成10年会計基準は、過去勤務費用及び数理計算上の差異について、次の(1)から(3)に掲げる考え方を採っていた。

(1) 過去勤務費用及び数理計算上の差異については、その発生した時点において費用とする考え方があるが、国際的な会計基準では一時の費用とはせず一定の期間にわたって一部ずつ費用とする、又は、数理計算上の差異については一定の範囲内は認識しないという処理（回廊アプローチ）が行われている。…(中略)…

(2) 数理計算上の差異の取扱いについては、退職給付債務の数値を毎期末時点において厳密に計算し、その結果生じた計算差異に一定の許容範囲（回廊）を設ける方法と、基礎率等の計算基礎に重要な変動が生じない場合には計算基礎を変更しない等計算基礎の決定にあたって合理的な範囲で重要性による判断を認める方法（重要性基準）が考えられる。退職給付費用が長期的な見積計算であることから、このような重要性による判断を認めることが適切と考え、数理計算上の差異の取扱いについては、重要性基準の考え方によることとした。…(略)

したがって、「回廊アプローチ」及び「重要性基準」を解答することとなる。なお、問題文の指示により、「基準」で採用されている「重要性基準」を答案用紙の方法①の欄に記入する必要がある。

(MEMO)

第27問　資産除去債務基準

重要度	A

次の文章は「資産除去債務に関する会計基準」（以下「基準」という。）の一部を抜粋したものである。これらの文章に関連する以下の各問に答えなさい。

> 3
>
> (1)「資産除去債務」とは、有形固定資産の［ ① ］、建設、開発又は通常の使用によって生じ、当該有形固定資産の除去(a)に関して法令又は契約で要求される法律上の［ ② ］及びそれに準ずるものをいう。
>
> （中略）
>
> 6　資産除去債務はそれが［ ③ ］したときに、有形固定資産の除去に要する［ ④ ］の将来キャッシュ・フローを見積り(b)、割引後の金額（割引価値）(c)で算定する。
>
> （中略）
>
> 9　時の経過による資産除去債務の調整額は、その［ ③ ］時の費用として処理する。当該調整額は、期首の負債の帳簿価額に［ ⑤ ］負債計上時の割引率を乗じて算定する。

1　上記文中の空欄［ ① ］から［ ⑤ ］に適切な用語を記入しなさい。

2　下線部(a)に該当するものを次の【選択肢】の中から選択し、その記号（①～④）を答案用紙に記入しなさい。

【選択肢】

①　有形固定資産の廃棄による処分	③　有形固定資産の遊休状態
②　有形固定資産の用途変更	④　有形固定資産の使用期間中における修繕

3　資産除去債務の会計処理方法には、「引当金処理」と「資産負債の両建処理」の２つがある。

(1)「基準」において採用されている会計処理方法を選択し、その内容を説明しなさい。

(2)「基準」において不採用となった会計処理方法の問題点を資産除去債務の負債計上の観点から説明しなさい。

4　下線部(b)はどのような支出見積りに基づいて算定されるか説明しなさい。

5　下線部(c)を算定する際の割引率について説明しなさい。

6　次の文章のうち、下線部(b)の変更による調整額に適用する割引率の説明としてもっとも適切な文章を一つ選択し、その記号（A～D）を答案用紙に記入しなさい。

A　下線部(b)が増減した場合には、見積りの変更が生じた時点の割引率を適用する。

B　下線部(b)が増加した場合には、見積りの変更が生じた時点の割引率を適用し、下線部(b)が減少した場合には負債計上時点の割引率を適用する。

C　下線部(b)が増減した場合には、負債計上時点の割引率を引き続き適用する。

D　下線部(b)が減少した場合には、見積りの変更が生じた時点の割引率を適用し、下線部(b)が増加した場合には負債計上時点の割引率を適用する。

解　答

1

①	取得	②	義務	③	発生	④	割引前	⑤	当初

2

記号	①

3

(1)

名称	資産負債の両建処理
内容	資産負債の両建処理とは、資産除去債務の全額を負債として計上[2]し、同額を有形固定資産の取得原価に反映[2]させる会計処理である。

(2)

引当金処理の問題点とは、有形固定資産の除去に必要な金額が貸借対照表に計上されない[2]ことから、資産除去債務の負債計上が不十分[2]となる点である。

4

割引前の将来キャッシュ・フローの見積りは、合理的で説明可能な仮定及び予測[2]に基づく自己の支出見積り[2]に基づいて算定する。

5

割引率は、貨幣の時間価値を反映[1]した無リスクの税引前の利率[2]とする。

6

記号	B

【配　点】

1　各1点　**2**　2点　**3**(1) **名称**　1点　**内容**　4点　(2)　4点

4　4点　**5**　3点　**6**　2点　　　合計25点

解答への道

1、4及び5について

「資産除去債務に関する会計基準」（以下「基準」という。）3項、6項及び9項では、次のように規定している。

> 3．
>
> (1)「資産除去債務」とは、有形固定資産の**取得**①、建設、開発又は通常の使用によって生じ、当該有形固定資産の除去に関して法令又は契約で要求される法律上の**義務**②及びそれに準ずるものをいう。
>
> （中略）
>
> 6．資産除去債務はそれが**発生**③したときに、有形固定資産の除去に要する**割引前**④の将来キャッシュ・フローを見積り、割引後の金額（割引価値）で算定する。
>
> (1) 割引前の将来キャッシュ・フローは、合理的で説明可能な仮定及び予測に基づく自己の支出見積りによる。…
>
> (2) 割引率は、貨幣の時間価値を反映した無リスクの税引前の利率とする。
>
> （中略）
>
> 9．時の経過による資産除去債務の調整額は、その**発生**③時の費用として処理する。当該調整額は、期首の負債の帳簿価額に**当初**⑤負債計上時の割引率を乗じて算定する。

本問の解答に当たっては、4については上記＿＿部分、5については上記＿＿部分に基づいてそれぞれ解答することとなる。

2について

「基準」3項及び24項では次のように規定している。

> 3．
>
> (2) 有形固定資産の「除去」とは、有形固定資産を用役提供から除外することをいう（一時的に除外する場合を除く。）。除去の具体的な態様としては、売却、廃棄、リサイクルその他の方法による処分等が含まれるが、転用や用途変更は含まれない。また、当該有形固定資産が遊休状態になる場合は除去に該当しない。
>
> 24．本会計基準においては、資産除去債務を有形固定資産の除去に関わるものと定義していることから、これらに該当しないもの、例えば、有形固定資産の使用期間中に実施する環境修復や修繕は対象とはならない。

したがって、下線部から本問における例示のうち②、③及び④は「除去」に該当しないことになる。

3について

「基準」32項及び34項では次のように規定している。

> 32. 有形固定資産の耐用年数到来時に解体、撤去、処分等のために費用を要する場合、有形固定資産の除去に係る用役（除去サービス）の費消を、当該有形固定資産の使用に応じて各期間に費用配分し、それに対応する金額を負債として認識する考え方がある。このような考え方に基づく会計処理（引当金処理）は、資産の保守のような用役を費消する取引についての従来の会計処理から考えた場合に採用される処理である。こうした考え方に従うならば、有形固定資産の除去などの将来に履行される用役について、その支払いも将来において履行される場合、当該債務は通常、双務未履行であることから、認識されることはない。
>
> 　しかし、法律上の義務に基づく場合など、資産除去債務に該当する場合には、有形固定資産の除去サービスに係る支払いが不可避的に生じることに変わりはないため、たとえその支払いが後日であっても、債務として負担している金額が合理的に見積られることを条件に、資産除去債務の全額を負債として計上し、同額を有形固定資産の取得原価に反映させる処理（資産負債の両建処理）を行うことが考えられる。
>
> 34. しかしながら、引当金処理の場合には、有形固定資産の除去に必要な金額が貸借対照表に計上されないことから、資産除去債務の負債計上が不十分であるという意見がある。また、資産負債の両建処理は、有形固定資産の取得等に付随して不可避的に生じる除去サービスの債務を負債として計上するとともに、対応する除去費用をその取得原価に含めることで、当該有形固定資産への投資について回収すべき額を引き上げることを意味する。この結果、有形固定資産に対応する除去費用が、減価償却を通じて、当該有形固定資産の使用に応じて各期に費用配分されるため、資産負債の両建処理は引当金処理を包摂するものといえる。さらに、このような考え方に基づく処理は、国際的な会計基準とのコンバージェンスにも資するものであるため、本会計基準では、資産負債の両建処理を求めることとした。

　したがって、「基準」で採用している会計処理方法は「資産負債の両建処理」が該当し、上記＿＿＿部分に基づいて解答することとなる。

　また、「引当金処理」の問題点については上記＿＿＿部分に基づいて解答することとなる。

6について

「基準」11項では次のように規定している。

> 11. 割引前の将来キャッシュ・フローに重要な見積りの変更が生じ、当該キャッシュ・フローが増加する場合その時点の割引率を適用する。これに対し、当該キャッシュ・フローが減少する場合には、負債計上時の割引率を適用する。なお、過去に割引前の将来

キャッシュ・フローの見積りが増加した場合で、減少部分に適用すべき割引率を特定できないときは、加重平均した割引率を適用する。

したがって、本問の選択肢の中からは「割引前の将来キャッシュ・フローが増加した場合には見積の変更が生じた時点の割引率を適用し、割引前の将来キャッシュ・フローが減少した場合には負債計上時点の割引率を適用する。」というＢが正解となる。

(MEMO)

第28問　退職給付基準・資産除去債務基準

重要度	A

下記に示された各会計基準に関する以下の各問に答えなさい。なお解答は、答案用紙の所定の箇所に記載すること。

問１　「討議資料　財務会計の概念フレームワーク」における、負債の定義を述べなさい。

問２　「退職給付に関する会計基準」（以下、「退職給付基準」という。）に関する以下の各設問に答えなさい。

(1) 退職給付債務とはどのようなものか説明しなさい。

(2) 次の文章に関連して、①及び②に答えなさい。

> …退職給付は、その発生が［（イ）］する将来の特定の［（ロ）］であり、当期の負担に属すべき金額は、その［（ハ）］に基づくことなく、その［（ニ）］又は［（ホ）］に基づいて費用として認識するという企業会計における考え方が、…＜中略＞…当てはまる。…

① 上記文章中の空欄(イ)～(ホ)に当てはまる適切な語句を答えなさい。

② 上記文章を踏まえると、「退職給付基準」において退職給付はどのような性質を持つものと考えられているのか答えなさい。

問３　「資産除去債務に関する会計基準」（以下、「資産除去債務基準」という。）に関する以下の各設問に答えなさい。

(1) 資産除去債務とはどのようなものか説明しなさい。

(2) 資産除去債務について、負債性が認められるか否かを理由とともに答えなさい。

(3) 除去費用の資産計上に関する次の文章に関連して、①及び②に答えなさい。

> …除去費用を当該有形固定資産の取得原価に含めることにより、当該資産への投資について［（ヘ）］を引き上げることを意味する。すなわち、有形固定資産の除去時に不可避的に生じる支出額を［（ト）］と同様に取得原価に加えた上で［（チ）］を行い、さらに、［（リ）］からも有用と考えられる情報を提供するものである。

① 上記文章中の空欄(ヘ)～(リ)に当てはまる適切な語句を答えなさい。

② 「資産除去債務基準」において除去費用を下線部のように取り扱い、独立した資産として計上しない理由を説明しなさい。

解答

問1

負債とは、過去の取引又は事象の結果として、報告主体が支配[1]している経済的資源を放棄若しくは引き渡す義務、又はその同等物[2]をいう。

問2

(1)

退職給付債務とは、退職給付のうち、認識時点までに発生していると認められる部分[2]を割り引いたもの[1]をいう。

(2)①

空欄(イ)	当期以前の事象に起因	空欄(ロ)	費用的支出
空欄(ハ)	支出の事実	空欄(ニ)	支出の原因
空欄(ホ)	効果の期間帰属		

②

退職給付は、労働の対価[1]として支払われる賃金の後払い[1]である。

問3

(1)

資産除去債務とは、有形固定資産の取得、建設、開発又は通常の使用によって生じ[1]、当該有形固定資産の除去に関して法令又は契約で要求される法律上の義務及びそれに準ずるもの[2]をいう。

(2)

資産除去債務は、有形固定資産の除去に関して法令又は契約で要求される法律上の義務及びそれに準ずるものであり、当該有形固定資産の除去サービスに係る支払いが不可避的に生じ、実質的に支払義務を負うことになる[2]ことから、負債性が認められる[1]。

(3)①

空欄(ヘ)	回収すべき額	空欄(ト)	付随費用
空欄(チ)	費用配分	空欄(リ)	資産効率の観点

②

除去費用は、法律上の権利ではなく財産的価値もない[1]こと、また、独立して収益獲得に貢献するものではない[1]ためである。

【配　点】

問1　3点　　**問2** (1)　3点　(2)①　各1点　②　2点

問3 (1)　3点　(2)　3点　(3)①　各1点　②　2点　　合計25点

解答への道

問1について

「討議資料　財務会計の概念フレームワーク」第３章財務諸表の構成要素の第５項に基づいて解答することとなる。

５．負債とは、過去の取引または事象の結果として、報告主体が支配している経済的資源を放棄もしくは引き渡す義務、またはその同等物をいう。

問2について

(1)「退職給付に関する会計基準」（以下、「退職給付基準」という。）第６項に基づいて解答することとなる。

６．「退職給付債務」とは、退職給付のうち、認識時点までに発生していると認められる部分を割り引いたものをいう。

(2) ①及び②ともに「退職給付基準」第53項に基づき解答することとなる。

53．…企業会計において退職給付の性格は、労働の対価として支払われる賃金の後払いであるという考え方に立ち、基本的に勤務期間を通じた労働の提供に伴って発生するものと捉えていた。このような捉え方に立てば、退職給付は、その発生が**当期以前の事象に起因**(イ)する将来の特定の**費用的支出**(ロ)であり、当期の負担に属すべき金額は、その**支出の事実**(ハ)に基づくことなく、その**支出の原因**(ニ)又は**効果の期間帰属**(ホ)に基づいて費用として認識するという企業会計における考え方が、企業が直接給付を行う退職給付のみならず企業年金制度による退職給付にも当てはまる。…

問3について

(1)「資産除去債務に関する会計基準」（以下、「資産除去債務基準」という。）第３項(1)に基づいて解答することとなる。

３．本会計基準における用語の定義は、次のとおりとする。 (1)「資産除去債務」とは、有形固定資産の取得、建設、開発又は通常の使用によって生じ、当該有形固定資産の除去に関して法令又は契約で要求される法律上の義務及びそれに準ずるものをいう。…

(2)「資産除去債務基準」第32項に以下のような規定が示されている。

32．…有形固定資産の除去などの将来に履行される用役について、その支払いも将来において履行される場合、当該債務は通常、双務未履行であることから、認識されることはない。 しかし、法律上の義務に基づく場合など、資産除去債務に該当する場合には、有形固定資産の除去サービスに係る支払いが不可避的に生じることに変わりはないため、たとえその支払いが後日であっても、債務として負担している金額が合理的に見積られることを条件に、資産除去債務の全額を負債として計上し、…

上記下線部のように、資産除去債務は法律上の義務及びそれに準ずるものであり、当該除去サービスに係る支払が不可避的に生じ、実質的に支払義務を負うものであるため、その負債性が認められるのである。

(3) ①については「資産除去債務基準」第41項、②については同第42項に基づいて解答することとなる。

41. …有形固定資産の取得に付随して生じる除去費用の未払の債務を負債として計上すると同時に、対応する除去費用を当該有形固定資産の取得原価に含めることにより、当該資産への投資について**回収すべき額**(ヘ)を引き上げることを意味する。すなわち、有形固定資産の除去時に不可避的に生じる支出額を**付随費用**(ト)と同様に取得原価に加えた上で**費用配分**(チ)を行い、さらに、**資産効率の観点**(リ)からも有用と考えられる情報を提供するものである。

42. …当該除去費用は、法律上の権利ではなく財産的価値もないこと、また、独立して収益獲得に貢献するものではないことから、本会計基準では、別の資産として計上する方法は採用していない。…

(MEMO)

テーマ14　税効果基準

第29問　税効果基準

重要度	B

「税効果会計に係る会計基準」（以下「基準」という。）に関する以下の各問について、答案用紙の所定の箇所に解答を記入しなさい。

次の文章は「基準」から抜粋したものである。

> 税効果会計は、企業会計上の［①］又は［②］の額と課税所得計算上の［①］又は［②］の額に相違がある場合において、法人税その他利益に関連する金額を課税標準とする税金（以下「法人税等」という。）の額を適切に［③］することにより、法人税等を控除する前の当期純利益と法人税等を合理的に［④］させることを目的とする手続である。

問1　上記文中の空欄（①～④）に当てはまる用語を解答欄に記入しなさい。

問2　下線部の法人税等の性格を「基準」ではどのように捉えているかを簡潔に答えなさい。

問3　「基準」が採用している税効果会計の処理方法について説明しなさい。

問4　税効果会計の適用によって貸借対照表に計上される繰延税金資産の資産性について説明しなさい。

問5　繰延税金資産の回収可能性に関する判断基準について、下記文中の空欄（⑤～⑧）に当てはまる用語を解答欄に記入しなさい。

> 繰延税金資産の回収可能性は、次のアからウに基づいて、将来の税金負担額を軽減する効果を有するかどうかを判断する。
>
> ア　［⑤］に基づく一時差異等加減算前課税所得
>
> 　将来減算一時差異の解消年度を含む期間に、一時差異等加減算前課税所得が生じる可能性が高いと見込まれること
>
> イ　［⑥］に基づく一時差異等加減算前課税所得
>
> 　将来減算一時差異の解消年度を含む期間に、含み益のある固定資産又は有価証券を売却する等の［⑥］に基づく一時差異等加減算前課税所得が生じる可能性が高いと見込まれること
>
> ウ　［⑦］
>
> 　将来減算一時差異の解消年度を含む期間に、［⑦］が［⑧］されると見込まれること

問６　従来、我が国において繰延税金資産は流動資産又は投資その他の資産として、繰延税金負債は流動負債又は固定負債として表示しなければならないとされていたが、現行の「基準」では、国際的な会計基準に整合させ、すべてを非流動区分に表示することとしている。

　このように「基準」が改正された理由を、「キャッシュ・フロー」という用語を使用して１つ説明しなさい。

解答

問1

①資産　②負債　③期間配分　④対応

問2

「基準」では、法人税等を費用[1]として捉えている。

問3

「基準」が採用している処理方法は資産負債法[1]である。

資産負債法とは、調整すべき差異を会計上の資産又は負債と、税務上の資産又は負債の差額から把握[2]し、これに将来施行されるべき税率（予測税率）を適用して算定した額を調整すべき税効果額として処理する方法[2]である。

問4

繰延税金資産は、将来の法人税等の支払額を減額する効果を有し[2]、一般的には法人税等の前払額に相当[1]するため、その資産性が認められる[1]。

問5

⑤	収益力	⑥	タックス・プランニング
⑦	将来加算一時差異	⑧	解消

問6

決算日後に税金を納付する我が国において[1]は、１年以内に解消される一時差異等について、１年以内にキャッシュ・フローは生じない[2]ためである。

【配　点】

問1　各２点　**問2**　１点　**問3**　５点　**問4**　４点　**問5**　各１点

問6　３点　合計25点

解答への道

問１について

「税効果会計に係る会計基準」（以下「基準」という。）第一では、次のように規定している。

税効果会計は、企業会計上の資産①又は負債②の額と課税所得計算上の資産①又は負債②の額に相違がある場合において、法人税その他利益に関連する金額を課税標準とする税金（以下「法人税等」という。）の額を適切に期間配分③することにより、法人税等を控除する前の当期純利益と法人税等を合理的に対応④させることを目的とする手続である。

問２について

法人税等の会計的性格については、費用説と利益処分説がある。「基準」では、財務諸表による投資者の意思決定のための有用な情報の提供という観点から、法人税等は、業績評価の指標として利益を算定する過程における控除項目、つまり費用として取り扱われるのである。それゆえ、法人税等は、費用として認識及び期間配分が行われることとなる。

また、利益処分説とは、法人税は、企業の利益に対して課されるものであって、利益がなければ課されないのであるから、利益の処分項目であるとする考え方である。

なお、わが国の企業会計原則では、税引前当期純利益をいったん算出してから法人税を差し引く形式をとり、上記の両説の折衷的なものとして取り扱われている。

問３について

税効果会計の処理方法には、繰延法と資産負債法がある。

繰延法とは、調整すべき差異を会計上の収益及び費用と、税務上の益金及び損金の差額から把握し、これに現行の税率を適用して算定した額を調整すべき税効果額として処理する方法であり、収益・費用の適切な対応を図り、損益計算を適正に行おうとする収益費用アプローチの思考に結びつく処理方法である。

一方、資産負債法とは、調整すべき差異を会計上の資産及び負債と税務上の資産及び負債の差額から把握し、これに将来施行されるべき税率（予測税率）を適用して算定した額を調整すべき税効果額として処理する方法であり、将来の法人税等の支払額に対する影響を表示することにより、純資産計算（企業価値計算）を適正に行おうとする資産負債アプローチの思考に結びつく処理方法である。

「基準」では、資産負債法を採用しているので、その内容について説明することとなる。

問４及び問５について

資産負債法のもと計上される繰延税金資産は、前払税金の性格を有し、それに係る差異が解消する期間の税金支払額を減額する効果があるため、その資産性が認められるのである。

なお、繰延税金資産は、上記の理由によりその資産性が認められるため、計上にあたっては差異の解消する期間における税金支払額を減額する効果の有無、すなわち、回収可能性の有無を判断しなければならない。

具体的には、次の３つの要件のいずれかを満たすことにより回収可能性（資産性）があるものと判断される。

(1) 将来減算一時差異の解消年度を含む期間に、一時差異等加減算前課税所得が生じる可能性が高いと見込まれること

(2) 将来減算一時差異の解消年度を含む期間に、タックスプランニングに基づく一時差異等加減算前課税所得が生じる可能性が高いと見込まれること

(3) 将来減算一時差異の解消年度を含む期間に、将来加算一時差異が解消されると見込まれること

問６について

「税効果会計に係る会計基準」の一部改正では、次のように規定している。

> 15. この点、繰延税金資産及び繰延税金負債を、これらに関連した資産及び負債の分類に基づいて流動又は非流動区分に表示するという現行の取扱いは、一時差異等に関連した資産及び負債と、その税金費用に関する資産及び負債（当該一時差異等に係る繰延税金資産及び繰延税金負債）が同時に取り崩されるという特徴を踏まえており、同一の区分に表示することに一定の論拠があると考えられる。
>
> 一方、繰延税金資産は換金性のある資産ではないことや、決算日後に税金を納付する我が国においては、１年以内に解消される一時差異等について、１年以内にキャッシュ・フローは生じないことを勘案すると、すべてを非流動区分に表示することにも一定の論拠があると考えられる。

したがって、上部下線部＿＿＿に基づいて解答することとなる。

(MEMO)

テーマ15　企業結合基準・事業分離基準

第30問　企業結合基準・事業分離基準①

重要度　B

以下の企業結合及び事業分離に関する各問に答えなさい。

「企業結合に関する会計基準」

取得の会計処理

17. 共同支配企業の形成及び共通支配下の取引以外の企業結合は取得となる。また、この場合における会計処理は、次項から第36項による（以下、次項から第33項による会計処理を「［①］」という。）。

取得原価の算定

基本原則

23. 被取得企業又は取得した事業の取得原価は、原則として、取得の対価（支払対価）となる財の企業結合日における［②］で算定する。支払対価が現金以外の資産の引渡し、負債の引受け又は株式の交付の場合には、支払対価となる財の［②］と被取得企業又は取得した事業の［②］のうち、より高い［③］をもって測定可能な［②］で算定する。

取得関連費用の会計処理

26. 取得関連費用（外部のアドバイザー等に支払った特定の報酬・手数料等）は、［④］として処理する。

取得原価の配分方法

28. 取得原価は、被取得企業から受け入れた資産及び引き受けた負債のうち企業結合日時点において［⑤］なものの企業結合日時点の［②］を基礎として、当該資産及び負債に対して企業結合日以後［⑥］年以内に配分する。

29. 受け入れた資産に法律上の権利など分離して譲渡可能な無形資産が含まれる場合には、当該無形資産は［⑤］なものとして取り扱う。

30. 取得後に発生することが予測される特定の事象に対応した費用又は損失であって、その発生の可能性が取得の対価の算定に反映されている場合には、負債として認識する。（以下省略）

31. 取得原価が、受け入れた資産及び引き受けた負債に配分された純額を上回る場合には、その超過額はのれんとして次項に従い会計処理し、下回る場合には、その不足額は［⑦］として第33項に従い会計処理する。

のれんの会計処理

32．のれんは、資産に計上し、20年以内のその効果の及ぶ期間にわたって、定額法その他の合理的な方法により規則的に償却する。

「事業分離等に関する会計基準」

4．「事業分離」とは、ある企業を構成する事業を他の企業（新設される企業を含む。）に［ ⑧ ］することをいう。なお、複数の取引が1つの事業分離を構成している場合には、それらを一体として取り扱う。

5．「分離元企業」とは、事業分離において、当該企業を構成する事業を［ ⑧ ］する企業をいう。

1　上記文章の空欄［ ① ］から［ ⑧ ］に当てはまる適切な語句を答えなさい。

2　従来から、企業結合には「取得」と「持分の結合」があり、それぞれ異なる経済的実態を有するといわれてきた。「取得」及び「持分の結合」に関する以下の問に答えなさい。

(1) 持分の継続・非継続という考え方に基づき、「取得」と「持分の結合」を説明した次の文章のうち、最も適切なものを選び、記号で答えなさい。

ア 「取得」の場合には、すべての結合当事企業の持分は継続しているとみなされる。

イ 「持分の結合」の場合には、取得企業の持分は継続しているが、被取得企業の持分は継続を断たれたとみなされる。

ウ 「取得」の場合には、取得企業の持分は継続しているが、被取得企業の持分は継続を断たれたとみなされる。

エ 「取得」の場合には、取得企業の持分は継続を断たれているが、被取得企業の持分は継続しているとみなされる。

オ 「持分の結合」の場合には、すべての結合当事企業の持分は断たれたとみなされる。

(2) 「取得」と「持分の結合」は、異なる経済的実態を有していると考えられるため、本来、それぞれを映し出すのに適した会計処理を使い分けることが必要となる。「取得」と判断される企業結合について空欄［ ① ］が整合的だと考えられるが、その理由を答えなさい。

3　「企業結合に関する会計基準」第32項の会計処理を行う理由について自己創設のれんの観点から説明しなさい。

解　答

1

①	パーチェス法	②	時価	③	信頼性
④	発生した事業年度の費用	⑤	識別可能	⑥	1
⑦	負ののれん	⑧	移転		

2

(1)

ウ

(2)

企業結合の多くは、実質的にはいずれかの結合当事企業による新規の投資と同じ[1]であり、交付する現金及び株式等の投資額を取得価額として他の結合当事企業から受け入れる資産及び負債を評価[1]することが現行の一般的な会計処理と整合[2]するからである。

3

企業結合により生じたのれんは時間の経過とともに自己創設のれんに入れ替わる可能性がある[1]ため、企業結合により計上したのれんの非償却による自己創設のれんの実質的な資産計上を防ぐことができる[2]からである。

【配　点】

1　各2点　　**2**(1)　2点　(2)　4点　　**3**　3点　　合計　25点

解答への道

1　空欄補充問題

「企業結合に関する会計基準」

取得の会計処理

17. 共同支配企業の形成及び共通支配下の取引以外の企業結合は取得となる。また、この場合における会計処理は、次項から第36項による（以下、次項から第33項による会計処理を「**パーチェス法**①」という。）。

取得原価の算定

基本原則

23. 被取得企業又は取得した事業の取得原価は、原則として、取得の対価（支払対価）となる財の企業結合日における**時価**②で算定する。支払対価が現金以外の資産の引渡し、負債の引受け又は株式の交付の場合には、支払対価となる財の**時価**②と被取得企業又は取得した事業の**時価**②のうち、より高い**信頼性**③をもって測定可能な**時価**②で算定する。

取得関連費用の会計処理

26. 取得関連費用（外部のアドバイザー等に支払った特定の報酬・手数料等）は、**発生した事業年度の費用**④として処理する。

取得原価の配分方法

28. 取得原価は、被取得企業から受け入れた資産及び引き受けた負債のうち企業結合日時点において**識別可能**⑤なものの企業結合日時点の**時価**②を基礎として、当該資産及び負債に対して企業結合日以後**1**⑥年以内に配分する。

29. 受け入れた資産に法律上の権利など分離して譲渡可能な無形資産が含まれる場合には、当該無形資産は**識別可能**⑤なものとして取り扱う。

30. 取得後に発生することが予測される特定の事象に対応した費用又は損失であって、その発生の可能性が取得の対価の算定に反映されている場合には、負債として認識する。（以下省略）

31. 取得原価が、受け入れた資産及び引き受けた負債に配分された純額を上回る場合には、その超過額はのれんとして次項に従い会計処理し、下回る場合には、その不足額は**負ののれん**⑦として第33項に従い会計処理する。

のれんの会計処理

32. のれんは、資産に計上し、20年以内のその効果の及ぶ期間にわたって、定額法その他の合理的な方法により規則的に償却する。

「事業分離等に関する会計基準」

4．「事業分離」とは、ある企業を構成する事業を他の企業（新設される企業を含む。）に**移転**⑧することをいう。なお、複数の取引が1つの事業分離を構成している場合には、それらを一体として取り扱う。

5．「分離元企業」とは、事業分離において、当該企業を構成する事業を**移転**⑧する企業をいう。

2について

「企業結合に関する会計基準」は、以下のように規定している。

67. 企業結合には「取得」と「持分の結合」という異なる経済的実態を有するものが存在し、それぞれの実態に対応する適切な会計処理方法を適用する必要があるとの考え方がある。この考え方によれば、まず「取得」に対しては、ある企業が他の企業の支配を獲得することになるという経済的実態を重視し、パーチェス法により会計処理することになる。これは、企業結合の多くは、実質的にはいずれかの結合当事企業による新規の投資と同じであり、交付する現金及び株式等の投資額を取得価額として他の結合当事企業から受け入れる資産及び負債を評価することが、現行の一般的な会計処理と整合するからである。

68. 他方、企業結合の中には、いずれの結合当事企業も他の結合当事企業に対する支配を獲得したとは合理的に判断できない「持分の結合」がある。「持分の結合」とは、いずれの企業（又は事業）の株主（又は持分保有者）も他の企業（又は事業）を支配したとは認められず、結合後企業のリスクや便益を引き続き相互に共有することを達成するため、それぞれの事業のすべて又は事実上のすべてを統合して1つの報告単位となることをいい、この「持分の結合」に対する会計処理としては、対応する資産及び負債を帳簿価額で引き継ぐ会計処理が適用される。この考え方は、いずれの結合当事企業の持分も継続が断たれておらず、いずれの結合当事企業も支配を獲得していないと判断される限り、企業結合によって投資のリスクが変質しても、その変質によっては個々の投資のリターンは実現していないとみるものであり、現在、ある種の非貨幣財同士の交換を会計処理する際にも適用されている実現概念に通ずる基本的な考え方でもある。

取得と持分の結合の考え方

持分の継続

73. 従来から、企業結合には「取得」と「持分の結合」があり、それぞれ異なる経済的実態を有するといわれてきた。企業結合が取得と判断されれば、取得企業の資産及び負債はその帳簿価額で企業結合後もそのまま引き継がれるのに対して、被取得企業の資産及び負債は時価に評価替えされる。他方、企業結合が持分の結合と判断されるのであれば、すべての結合当事企業の資産及び負債はその帳簿価額で企業結合後もそのまま引き継がれる。このような相違が生じるのは、持分の継続が断たれた側では、投資家はそこでいったん投資を清算し、改めて当該資産及び負債に対して投資を行ったと考えられるのに対して、持分が継続している側では、これまでの投資がそのまま継続していると考えられるからに他ならない。取得の場合には、取得企業の持分は継続しているが、被取得企業の持分はその継続を断たれたとみなされている。他方、持分の結合の場合には、すべての結合当事企業の持分は継続しているとみなされている。このように、持分の継続・非継続により取得と持分の結合は識別され、それぞれに対して異なる会計処理が使い分けられてきた。

したがって、(1)は「ウ」、(2)は上記波線部を解答することとなる。

3について

「企業結合に関する会計基準」は、以下のように規定している。

105. のれんの会計処理方法としては、その効果の及ぶ期間にわたり「規則的な償却を行う」方法と、「規則的な償却を行わず、のれんの価値が損なわれた時に減損処理を行う」方法が考えられる。「規則的な償却を行う」方法によれば、企業結合の成果たる収益と、その対価の一部を構成する投資消去差額の償却という費用の対応が可能になる。また、のれんは投資原価の一部であることに鑑みれば、のれんを規則的に償却する方法は、投資原価を超えて回収された超過額を企業にとっての利益とみる考え方とも首尾一貫している。さらに、企業結合により生じたのれんは時間の経過とともに自己創設のれんに入れ替わる可能性があるため、企業結合により計上したのれんの非償却による自己創設のれんの実質的な資産計上を防ぐことができる。のれんの効果の及ぶ期間及びその減価のパターンは合理的に予測可能なものではないという点に関しては、価値が減価した部分の金額を継続的に把握することは困難であり、かつ煩雑であると考えられるため、ある事業年度において減価が全く認識されない可能性がある方法よりも、一定の期間にわたり規則的な償却を行う方が合理的であると考えられる。また、のれんのうち価値の減価しない部分の存在も考えられるが、その部分だけを合理的に分離することは困難であり、分離不能な部分を含め「規則的な償却を行う」方法には一定の合理性があると考えられる。

したがって、上記下線部を解答することとなる。

第31問　企業結合基準・事業分離基準②

重要度	C

「企業結合に関する会計基準」(以下、「企業結合基準」という。）及び「事業分離等に関する会計基準」(以下、「事業分離等基準」という。）では、企業の組織再編に係る会計処理を規定している。これに関して、次の各問に答えなさい。なお、解答に当たっては、共同支配企業の形成及び重要な継続的関与については考慮不要である。

> 一般的な会計処理においては、企業と外部者との間で財を受払いした場合、企業の支払対価が現金及び現金等価物のときには、［①］の会計処理が行われ、企業の受取対価が現金及び現金等価物のときには、［②］の会計処理が行われる。また、企業と外部者との間で現金及び現金等価物以外の財と財とが受払いされたときには、［③］の会計処理が行われる。

1　上記の文章は「事業分離等基準」から抜粋したものである。空欄①から③に適切な用語を下記の用語群から選択し、記号を記入しなさい。

イ．交換　　ロ．購入（新規の投資）　　ハ．売却（投資の清算）

2　「企業結合基準」においては、持分プーリング法を廃止することとしたものの、結合当事企業に対する総体としての株主の観点から「持分の継続・非継続」という概念を用いて、企業結合の会計処理の考え方を上記の一般的な会計処理の考え方と整合させている。

(1) 企業結合の会計処理について空欄①の会計処理を用いるべきとする場合の、企業結合の経済的実態について指摘し、当該企業結合の会計処理を、企業の損益計算の観点から簡潔に述べなさい。

(2) 企業結合の会計処理について空欄③の会計処理を用いるべきとする場合の、企業結合の経済的実態のうち上記2(1)以外のものについて指摘し、当該企業結合の会計処理を、企業の損益計算の観点から簡潔に述べなさい。

3　「事業分離等基準」においては、分離元企業及び結合当事企業の株主の会計処理の考え方について、総体としての株主ではなく個々の株主の観点から、企業結合の会計処理と同じ考え方に基づき、「持分の継続・非継続」の基礎になっている投資の継続・清算という概念によって整理し、移転損益や交換損益が認識される場合と認識されない場合があるとしている。

(1) 次のニ及びホについて、分離元企業の会計処理の概念は、投資の継続・清算のいずれであるか指摘しなさい。なお、投資の継続に該当する場合には「A」と、投資の清算に該当する場合には「B」と記述すること。

ニ．分離先企業が子会社や関連会社以外となる場合の事業分離（事業分離前には分離元企業は分離先企業の株式を有していない）で、現金等の財産のみを受取対価とする場合

ホ．分離先企業が子会社や関連会社となる場合の事業分離（事業分離前には分離元企業は分離先企業の株式を有していない）で、分離先企業の株式のみを受取対価とする場合

(2) 上記３(1)ニ及びホの事業分離における分離元企業の受取対価及び移転損益の処理について述べなさい。

(3) 次のヘ及びトについて、被結合企業の株主の会計処理の概念は、投資の継続・清算のいずれであるか指摘しなさい。なお、投資の継続に該当する場合には「A」を、投資の清算に該当する場合には「B」を記述すること。

ヘ．子会社や関連会社以外の投資先を被結合企業とする企業結合により、子会社株式や関連会社株式以外の被結合企業の株式が結合企業の株式のみと引き換えられ、結合後企業が引き続き、当該株主の子会社や関連会社に該当しない場合

ト．子会社や関連会社以外の投資先を被結合企業とする企業結合により、子会社株式や関連会社株式以外の被結合企業の株式が、現金等の財産のみと引き換えられた場合

解 答

1

①	ロ	②	ハ	③	イ

2 (1)

経済的実態 取得

会 計 処 理

企業の損益計算の観点からいえば、企業結合時点での資産及び負債の時価を新たな投資原価[2]とし、そのような投資原価を超えて回収できれば、その超過額が企業にとっての利益[2]となる。

(2)

経済的実態 持分の結合

会 計 処 理

企業の損益計算の観点からいえば、投資の清算と再投資は行われていないのであるから、結合後企業にとっては企業結合直前の帳簿価額がそのまま投資原価[2]となり、この投資原価を超えて回収できれば、その超過額が企業にとっての利益[2]となる。

3 (1)

ニ	B	ホ	A

(2) ニの事業分離

分離元企業が受け取った現金等の財産は、原則として、時価により計上[1]し、移転した事業に係る株主資本相当額との差額は、原則として、移転損益として認識[2]する。

ホの事業分離

分離元企業が受け取った分離先企業の株式の取得原価は、移転した事業に係る株主資本相当額に基づいて算定[1]し、移転損益は認識しない[2]。

(3)

ヘ	A	ト	B

【配 点】

1 各1点 2 経済的実態：各2点 会計処理：各4点

3 (1) 各1点 (2) 各3点 (3) 各1点 合計25点

解答への道

1について

「事業分離等に関する会計基準」(以下、「事業分離等基準」という。)からの規定の空所補充問題である。

> 67．一般的な会計処理においては、企業と外部者との間で財を受払いした場合、企業の支払対価が現金及び現金等価物のときには、**購入（新規の投資）**①の会計処理が行われ、企業の受取対価が現金及び現金等価物のときには、**売却（投資の清算）**②の会計処理が行われる。また、企業と外部者との間で現金及び現金等価物以外の財と財とが受払いされたときには、**交換**③の会計処理が行われる。

したがって、①には「ロ」を、②には「ハ」を、③には「イ」を解答することとなる。

2について

「事業分離等基準」には、以下のような記述がある。

> 68．企業結合会計基準では、持分プーリング法を廃止することとしたものの、持分の継続か非継続かという概念を用いて企業結合を整理している。すなわち、企業結合には、取得企業の持分は継続しているが被取得企業の持分はその継続が断たれたとみなされる「取得」と、すべての結合当事企業の持分が継続しているとみなされる「持分の結合」という異なる経済的実態を有するものが存在するとし、「取得」に対しては対応する資産及び負債を時価で引き継ぐ方法により、「持分の結合」に対しては対応する資産及び負債を帳簿価額で引き継ぐ方法により会計処理することが考えられる（企業結合会計基準第75項）。これらは、一般的な会計処理に照らせば、次のように考えられる（この点については、企業結合会計基準第74項を参照のこと）。
>
> (1)「取得」と判定された場合に用いられる方法は、購入（新規の投資）の会計処理に該当する。また、**企業の損益計算の観点からいえば、企業結合時点での資産及び負債の時価を新たな投資原価とし、そのような投資原価を超えて回収できれば、その超過額が企業にとっての利益となる**。
>
> (2)「持分の結合」と判定された場合に用いられる方法は、ある種の非貨幣財同士の交換の会計処理に該当する。また、**企業の損益計算の観点からいえば、投資の清算と再投資は行われていないのであるから、結合後企業にとっては企業結合直前の帳簿価額がそのまま投資原価となり、この投資原価を超えて回収できれば、その超過額が企業にとっての利益となる**。

したがって、(1)の経済的実態は「取得」に該当し、その会計処理については＿＿部分の内容を、(2)の経済的実態は「持分の結合」に該当し、その会計処理については〰〰部分の内容を解答することとなる。

テーマ15 企業結合基準・事業分離基準

3 (1)及び(2)について

「事業分離等基準」には、以下のような記述がある。

10. 分離元企業は、事業分離日に、次のように会計処理する。

(1) 移転した事業に関する投資が清算されたとみる場合には、その事業を分離先企業に移転したことにより受け取った対価となる財の時価と、移転した事業に係る株主資本相当額（移転した事業に係る資産及び負債の移転直前の適正な帳簿価額による差額から、当該事業に係る評価・換算差額等及び新株予約権を控除した額をいう。以下同じ。）との差額を移転損益として認識するとともに、改めて当該受取対価の時価にて投資を行ったものとする。

現金など、移転した事業と明らかに異なる資産を対価として受け取る場合には、投資が清算されたとみなされる（第14項から第16項及び第23項参照）。ただし、事業分離後においても、分離元企業の継続的関与（分離元企業が、移転した事業又は分離先企業に対して、事業分離後も引き続き関与すること）があり、それが重要であることによって、移転した事業に係る成果の変動性を従来と同様に負っている場合には、投資が清算されたとみなされず、移転損益は認識されない。

(2) 移転した事業に関する投資がそのまま継続しているとみる場合、移転損益を認識せず、その事業を分離先企業に移転したことにより受け取る資産の取得原価は、移転した事業に係る株主資本相当額に基づいて算定するものとする。

子会社株式や関連会社株式となる分離先企業の株式のみを対価として受け取る場合には、当該株式を通じて、移転した事業に関する事業投資を引き続き行っていると考えられることから、当該事業に関する投資が継続しているとみなされる（第17項から第22項参照）。－以下略－

16. 現金等の財産のみを受取対価とする事業分離において、子会社や関連会社以外へ事業分離する場合、分離元企業が受け取った現金等の財産は、原則として、時価により計上し、移転した事業に係る株主資本相当額との差額は、原則として、移転損益として認識する。

17. 事業分離前に分離元企業は分離先企業の株式を有していないが、事業分離により分離先企業が新たに分離元企業の子会社となる場合、分離元企業（親会社）は次の処理を行う。

(1) 個別財務諸表上、移転損益は認識せず、当該分離元企業が受け取った分離先企業の株式（子会社株式）の取得原価は、移転した事業に係る株主資本相当額に基づいて算定する。－以下略－

20. 事業分離前に分離元企業は分離先企業の株式を有していないが、事業分離により分離先企業が新たに分離元企業の関連会社となる場合（共同支配企業の形成の場合は含まれない。次項及び第22項において同じ。）、分離元企業は次の処理を行う。

(1) 個別財務諸表上、移転損益は認識せず、当該分離元企業が受け取った分離先企業の株式（関連会社株式）の取得原価は、移転した事業に係る株主資本相当額に基づいて算定する。－以下略－

(1) 上記の規定より、(1)において、解答すべき内容をまとめると次のとおりとなる。

ニ　10項の＿＿部分及び16項の～～部分から、「投資の清算」(B) に該当することとなる。

ホ　10項の＿＿部分及び17項及び20項の＿＿部分から、「投資の継続」(A) に該当することとなる。

(2)「ニの事業分離」については、16項の～～部分に基づき解答することとなる。

「ホの事業分離」については、17項及び20項の＿＿部分に基づき解答することとなる。

3 (3)について

「事業分離等基準」には、以下のような記述がある。

32. 被結合企業の株主は、企業結合日に、次のように会計処理する。

(1) 被結合企業に関する投資が清算されたとみる場合には、被結合企業の株式と引き換えに受け取った対価となる財の時価と、被結合企業の株式に係る企業結合直前の適正な帳簿価額との差額を交換損益として認識するとともに、改めて当該受取対価の時価にて投資を行ったものとする。

現金など、被結合企業の株式と明らかに異なる資産を対価として受け取る場合には、投資が清算されたとみなされる（第35項から第37項及び第41項参照）。ただし、企業結合後においても、被結合企業の株主の継続的関与（被結合企業の株主が、結合後企業に対して、企業結合後も引き続き関与すること）があり、それが重要であることによって、交換した株式に係る成果の変動性を従来と同様に負っている場合には、投資が清算されたとみなされず、交換損益は認識されない。

(2) 被結合企業に関する投資がそのまま継続しているとみる場合、交換損益を認識せず、被結合企業の株式と引き換えに受け取る資産の取得原価は、被結合企業の株式に係る適正な帳簿価額に基づいて算定するものとする。

被結合企業が子会社や関連会社の場合において、当該被結合企業の株主が、子会社株式や関連会社株式となる結合企業の株式のみを対価として受け取る場合には、当該引き換えられた結合企業の株式を通じて、被結合企業（子会社や関連会社）に関する事業投資を引き続き行っていると考えられることから、当該被結合企業に関する投資が継続しているとみなされる（第38項から第40項及び第42項から第44項参照）。

37. 子会社や関連会社以外の投資先を被結合企業とする企業結合により、子会社株式や関連会社株式以外の被結合企業の株式が、現金等の財産のみと引き換えられた場合、被結合企業の株主は次の処理を行う。

(1) 個別財務諸表上、被結合企業の株主が受け取った現金等の財産は、原則として、時価により計上する。この結果、当該時価と引き換えられた被結合企業の株式の適正な帳簿価額との差額は、原則として、交換損益として認識する。－以下略－

43. 子会社や関連会社以外の投資先を被結合企業とする企業結合により、子会社株式や関連会社株式以外の被結合企業の株式が結合企業の株式のみと引き換えられ、結合後企業が引き続き、当該株主の子会社や関連会社に該当しない場合（その他有価証券からその他有価証券）、被結合企業の株主の個別財務諸表上、交換損益は認識されず、結合後企業の株式の取得原価は、引き換えられた被結合企業の株式に係る企業結合直前の適正な帳簿価額に基づいて算定する。

(3) 上記の規定より、(3)において、解答すべき内容をまとめると次のとおりとなる。

へ 32項及び43項の＿＿＿部分から、「投資の継続」（A）に該当することとなる。

ト 32項及び37項の＿＿＿部分から、「投資の清算」（B）に該当することとなる。

テーマ16 純資産表示基準

第32問 純資産表示基準①

重要度 A

「自己株式及び準備金の額の減少等に関する会計基準」(同適用指針も含め、以下「自己株式基準」という。)に関して、以下の各問に答えなさい。

1　自己株式の取得に関する以下の文章について、その内容が正しければ答案用紙の**正誤欄**に○と記入し(**修正欄**には何も記入しなくてよい。)、誤っていれば**正誤欄**に×と記入するとともに正しい内容を**修正欄**に記入しなさい。なお、解答に当たっては「自己株式基準」が採用している考え方を踏まえることとする。

(1) 自己株式の取得に関する付随費用は、取得原価に算入する。

(2) 自己株式を無償で取得した場合には、当該自己株式を時価で測定する。

(3) 期末に保有する自己株式は、純資産の部の株主資本の各項目から直接控除する。

2　自己株式処分差益に関して、以下の各問に答えなさい。

(1) 自己株式処分差益が、資本剰余金に計上される根拠について簡潔に説明しなさい。

(2) 自己株式処分差益が、その他資本剰余金に計上される根拠について簡潔に説明しなさい。

3　自己株式処分差損に関して、以下の各問に答えなさい。

(1)「自己株式基準」では、自己株式処分差損は純資産の部の株主資本からの分配の性格を有するものとした上で、①資本剰余金の額の減少と考えるべきとの意見と②利益剰余金の額の減少と考えるべきとの意見があるとしている。それぞれの意見において当該分配がどのような性格を持つものと考えられているのかを簡潔に示しなさい。

(2) 上記3(1)に関して、「自己株式基準」では自己株式処分差損を資本剰余金の額から減少することとしているが、その根拠について簡潔に説明しなさい。

(3) 自己株式処分差損が、その他資本剰余金から減額される根拠について簡潔に説明しなさい。

4 「繰延資産の会計処理に関する当面の取扱い」では、自己株式の処分に係る費用を新株の発行に係る費用と整合的に取り扱うこととしているが、その根拠について説明しなさい。

解　答

1 (1)

正誤欄	×
修正欄	自己株式の取得に関する付随費用は、取得原価に算入せず、損益計算書の営業外費用[2]に計上する。

(2)

正誤欄	×
修正欄	自己株式を無償で取得した場合には、自己株式の数のみの増加[2]として処理する。

(3)

正誤欄	×
修正欄	期末に保有する自己株式は、純資産の部の株主資本の末尾[1]に自己株式として一括して控除する形式で表示[1]する。

2 (1)

自己株式処分差益は、自己株式の処分が新株の発行と同様の経済的実態[1]を有する点を考慮すると、その処分差額も株主からの払込資本と同様の性格[1]を有すると考えられることから、資本剰余金に計上される。

(2)

自己株式処分差益は、会社法において分配可能額を構成[2]することから、その他資本剰余金に計上される。

3 (1) ① 資本剰余金の額の減少と考えるべきとの意見

払込資本の払戻し

② 利益剰余金の額の減少と考えるべきとの意見

利益配当

(2)

自己株式処分差損は、自己株式の処分が新株の発行と同様の経済的実態[1]を有する点を考慮すると、利益剰余金の額を増減させるべきではなく、処分差益と同じく処分差損についても、資本剰余金の額の減少とすることが適切[1]であると考えられることから、資本剰余金から減額される。

(3)

自己株式処分差損は、資本準備金からの減額が会社法上の制約を受ける[2]ことから、その他資本剰余金から減額される。

4

会社法においては、新株の発行と自己株式の処分の募集手続は募集株式の発行等として同一の手続[2]によることとされ、また、株式の交付を伴う資金調達などの財務活動に要する費用としての性格は同じ[2]であることから、新株の発行に係る費用の会計処理と整合的に取り扱うことが適当と考えられるためである。

【配　点】

1　正誤欄　各1点　修正欄　各2点　　2 (1)　2点　(2)　2点

3 (1)　各2点　(2)　2点　(3)　2点　　4　4点　　合計25点

解答への道

1 (1)について

「自己株式及び準備金の額の減少等に関する会計基準」（以下、「自己株式基準」という。）では、以下のように規定している。

> 14. 自己株式の取得、処分及び消却に関する付随費用は、損益計算書の営業外費用に計上する。

したがって、上記規定に基づいて、**正誤欄**に×を示したうえで、下線部の内容に修正することとなる。

1 (2)について

「自己株式及び準備金の額の減少等に関する会計基準の適用指針」では、以下のように規定している。

> 14. 自己株式を無償で取得した場合、自己株式の数のみの増加として処理する。

したがって、上記規定に基づいて、**正誤欄**に×を示したうえで、下線部の内容に修正することとなる。

1 (3)について

「自己株式基準」では、以下のように規定している。

> 8. 期末に保有する自己株式は、純資産の部の株主資本の末尾に自己株式として一括して控除する形式で表示する。

したがって、上記規定に基づいて、**正誤欄**に×を示したうえで、下線部の内容に修正することとなる。

2 (1)について

「自己株式基準」では、以下のように規定している。

> 37. まず、自己株式処分差益については、自己株式の処分が新株の発行と同様の経済的実態を有する点を考慮すると、その処分差額も株主からの払込資本と同様の経済的実態を有すると考えられる。よって、それを資本剰余金として会計処理することが適切であると考えた。

したがって、上記下線部に基づいて解答することとなる。

2 (2)について

「自己株式基準」では、以下のように規定している。

> 38. 自己株式処分差益については、資本剰余金の区分の内訳項目である資本準備金とその他資本剰余金に計上することが考えられる。会社法において、資本準備金は分配可能額からの控除項目とされているのに対し、自己株式処分差益についてはその他資本剰余金と同様に控除項目とされていない（会社法第446条及び第461条第２項）ことから、自己株式処分差益はその他資本剰余金に計上することが適切であると考えた。

したがって、上記下線部を要約して解答することとなる。

3(1)について

「自己株式基準」では、以下のように規定している。

39. 他方、自己株式処分差損については、自己株式の取得と処分を一連の取引とみた場合、純資産の部の株主資本からの分配の性格を有すると考えられる。この分配については、払込資本の払戻しと同様の性格を持つものとして、資本剰余金の額の減少と考えるべきとの意見がある。また、株主に対する会社財産の分配という点で利益配当と同様の性格であると考え、利益剰余金の額の減少と考えるべきとの意見もある。

したがって、資本剰余金の額の減少と考えるべきとの意見における性格は上記_ _ _ _ _ _部、利益剰余金の額の減少と考えるべきとの意見における性格は上記～～～～部を要約して解答することとなる。

3(2)及び(3)について

「自己株式基準」では、以下のように規定している。

40. 自己株式の処分が新株の発行と同様の経済的実態を有する点を考慮すると、利益剰余金の額を増減させるべきではなく、処分差益と同じく処分差損についても、資本剰余金の額の減少とすることが適切であると考えた。資本剰余金の額を減少させる科目としては、資本準備金からの減額が会社法上の制約を受けるため、その他資本剰余金からの減額が適切である。

したがって、(2)については上記_ _ _ _ _ _部、(3)については上記～～～～部の内容を解答することとなる。

4について

「繰延資産の会計処理に関する当面の取扱い」では、以下のように規定している。

また、本実務対応報告では、新株の発行と自己株式の処分に係る費用を合わせて株式交付費とし、自己株式の処分に係る費用についても繰延資産に計上できることとした。自己株式の処分に係る費用は、旧商法施行規則において限定列挙されていた新株発行費には該当しないため、これまで繰延資産として会計処理することはできないと解されてきた。しかしながら、会社法においては、新株の発行と自己株式の処分の募集手続は募集株式の発行等として同一の手続によることとされ、また、株式の交付を伴う資金調達などの財務活動に要する費用としての性格は同じであることから、新株の発行に係る費用の会計処理と整合的に取り扱うことが適当と考えられる。

したがって、上記下線部に基づいて解答することとなる。

第33問 純資産表示基準②

重要度 A

次の**問1**及び**問2**について、答案用紙の所定の箇所に解答を記入しなさい。

問1 次の文章は、「貸借対照表の純資産の部の表示に関する会計基準」から抜粋したものである。下線部に関して、以下の各問に答えなさい。

> 4．貸借対照表は、資産の部、負債の部及び純資産の部に区分し、純資産の部は、<u>株主資本と株主資本以外の各項目に区分</u>する。

1 株主資本について説明しなさい。

2 純資産の部を下線部のように区分する理由について、財務報告における情報開示の観点から説明しなさい。

3 個別貸借対照表上、株主資本以外の区分項目を「株式引受権」以外で2つ示すとともに、それらが区分表示される理由について簡潔に説明しなさい。

4 連結貸借対照表では、上記3に加えてもう1つの区分項目がある。それを示すとともに、それが区分表示される理由について簡潔に説明しなさい。

問2 次の文章は、「ストック・オプション等に関する会計基準」から抜粋したものである。これに関して、以下の各問に答えなさい。

> 8．ストック・オプションが権利行使され、これに対して新株を発行した場合には、新株予約権として計上した額のうち、当該権利行使に対応する部分を［ ① ］に振り替える。（以下略）
>
> 9．権利不行使による失効が生じた場合には、新株予約権として計上した額のうち、当該失効に対応する部分を［ ② ］として計上する。（以下略）

1 空欄［ ① ］及び［ ② ］に当てはまる適当な用語を記入しなさい。

2 ストック・オプションが費用認識される根拠について説明しなさい。

3 上記2に対しては、「ストック・オプションを付与しても、企業には現金その他の会社財産の流出が生じないため、費用認識に根拠がない」との見解もあるが、当該見解に対して償却資産の現物出資や贈与を受けた場合を例に批判的に論じなさい。

解　答

問1

1

株主資本とは、純資産のうち報告主体の所有者である株主に帰属する部分[3]をいう。

2

財務報告における情報開示の中で、投資の成果を表す当期純利益とこれを生み出す株主資本との関係を示すことが重要[3]であるため株主資本と株主資本以外の各項目を区分するのである。

3

区分項目	評価・換算差額等
理　由	評価・換算差額等は、払込資本ではなく[1]、かつ、未だ当期純利益に含められていない[1]ためである。

区分項目	新株予約権
理　由	新株予約権は、報告主体の所有者である株主とは異なる新株予約権者との直接的な取引によるもの[2]であるためである。

4

区分項目	非支配株主持分
理　由	非支配株主持分は、子会社の資本のうち親会社に帰属していない部分である[2]ためである。

（別解） 非支配株主持分は、連結財務諸表における親会社株主に帰属するものではない[2]ためである。

問2

1

①	払込資本	②	利益

2

従業員等に付与されたストック・オプションを対価[1]として、これと引換えに企業に追加的にサービスが提供[1]され、企業に帰属することとなったサービスを消費したと考えられる[2]ため、費用認識を行うべきである。

3

償却資産の現物出資や贈与を受けた場合には、対価としての会社財産の流出はない[1]が、当該資産の減価償却費は認識されることになる[2]ため、企業に現金その他の会社財産の流出がない場合には費用認識は生じないという見解は必ずしも正しくない[1]と言える。

【配　点】

問1　**1**…３点　**2**…３点　**3**…**区分項目**　各１点　**理由**　各２点

4…**区分項目**　１点　**理由**　２点

問2　**1**…各１点　**2**…４点　**3**…４点　　合計25点

解答への道

問1

1について

討議資料「財務会計の概念フレームワーク」では、以下のように規定している。

> 7　株主資本とは、純資産のうち報告主体の所有者である株主（連結財務諸表の場合には親会社株主）に帰属する部分をいう。

したがって、上記下線部を中心に解答することとなる。

2について

「貸借対照表の純資産の部の表示に関する会計基準」（以下、「純資産表示基準」という。）では、以下のように規定している。

> 29. 財務報告における情報開示の中で、特に重要なのは、投資の成果を表す利益の情報であると考えられている。報告主体の所有者に帰属する利益は、基本的に過去の成果であるが、企業価値を評価する際の基礎となる将来キャッシュ・フローの予測やその改訂に広く用いられている。当該情報の主要な利用者であり受益者であるのは、報告主体の企業価値に関心を持つ当該報告主体の現在及び将来の所有者（株主）であると考えられるため、当期純利益とこれを生み出す株主資本は重視されることとなる。
>
> 30. （中略）
>
> 　前項で示したように、株主資本を他の純資産に属する項目から区分することが適当であると考えられるため、純資産を株主資本と株主資本以外の各項目に区分することとした。（以下略）

したがって、上記下線部を要約して解答することとなる。

3及び4について

「純資産表示基準」では、以下のように規定している。

> 32. 新株予約権は、報告主体の所有者である株主とは異なる新株予約権者との直接的な取引によるものであり、また、非支配株主持分は、子会社の資本のうち親会社に帰属していない部分であり、いずれも親会社株主に帰属するものではないため、株主資本とは区別することとした。（以下略）
>
> 33. 平成17年会計基準では、評価・換算差額等は、払込資本ではなく、かつ、未だ当期純利益に含められていないことから、株主資本とは区別し、株主資本以外の項目とした。（以下略）

したがって、それぞれ上記下線部を中心に解答することとなる。

問2

1について

「ストック・オプション等に関する会計基準」（以下、「ストック・オプション基準」という。）では、以下のように規定している。

> 8．ストック・オプションが権利行使され、これに対して新株を発行した場合には、新株予約権として計上した額のうち、当該権利行使に対応する部分を**払込資本**①に振り替える。（以下略）
>
> 9．権利不行使による失効が生じた場合には、新株予約権として計上した額のうち、当該失効に対応する部分を**利益**②として計上する。（以下略）

2について

「ストック・オプション基準」では、以下のように規定している。

> 35．費用認識に根拠があるとする指摘は、従業員等に付与されたストック・オプションを対価として、これと引換えに、企業に追加的にサービスが提供され、企業に帰属することとなったサービスを消費したことに費用認識の根拠があると考えるものである。（以下略）

したがって、上記下線部を中心に解答することとなる。

3について

「ストック・オプション基準」では、以下のように規定している。

> 38．費用認識に根拠がないとする指摘には、前項の指摘の他、費用として認識されているものは、いずれかの時点で現金その他の会社財産の流出に結び付くのが通常であるが、従業員等にサービス提供の対価としてストック・オプションを付与する取引においては、付与時点ではもちろん、サービスが提供され、それを消費した時点においても、会社財産の流出はないことを理由とするものがある。しかし、第35項で述べたように、提供されたサービスの消費も財貨の消費と整合的に取り扱うべきであり、ストック・オプションによって取得されたサービスの消費であっても、消費の事実に着目すれば、企業にとっての費用と考えられる。
>
> さらにこの指摘は、サービスの提供を受けることの対価として会社財産の流出を伴う給付がないことに着目したものとも考えられる。確かに、サービスの消費があっても対価の給付がない取引では、費用は認識されない（仮に認識するとしても、無償でサービスの提供を受けたことによる利益と相殺され、損益に対する影響はない。）。しかし、ストック・オプションを付与する取引では、株式を時価未満で購入する条件付きの権利を対価としてサービスの提供を受けるのであり、無償でサービスの提供を受ける取引とは異なる。
>
> このように考えると、対価としての会社財産の流出は費用認識の必要条件ではなく、企業に現金その他の会社財産の流出がない場合には費用認識は生じないという主張は必ずしも正しくない。例えば、現行の会計基準の枠組みの中でも、償却資産の現

物出資を受けた場合や、償却資産の贈与を受けた場合には、対価としての会社財産の流出はないが、当該資産の減価償却費は認識されることになる。

したがって、上記下線部を要約して解答することとなる。

テーマ16 純資産表示基準

(MEMO)

テーマ17　外貨換算基準

第34問　外貨換算基準

重要度　C

外貨換算会計について、以下の各問に答えなさい。なお、解答にあたっては、「外貨建取引等会計処理基準（同基準の改訂に関する意見書及び外貨建取引等の会計処理に関する実務指針を含む。）」（以下、「基準」という。）に基づいて解答すること。

1　次の(1)～(3)については、決算時において、原則としてどの時点における為替相場により換算するかを理由とともに述べなさい。

(1) 外貨建金銭債権債務

(2) 外貨建売買目的有価証券

(3) 外貨建子会社株式

2　外貨建金銭債権債務について、その発生日から決済日に至るまでの為替相場の変動から生じる損益の処理としては「一取引基準」と「二取引基準」の２つの考え方がある。

「基準」が採用している考え方の名称、内容及び当該考え方が採用されている理由を述べなさい。なお、実務上の問題点について触れる必要はない。

3　以下の文章は、為替相場の変動リスクを回避するための為替予約の会計処理について述べたものである。

> (1) 独立処理
>
> 独立処理とは、為替予約等を外貨建取引と［ ① ］した取引として会計処理する方法をいう。
>
> (2) 振当処理
>
> 振当処理とは、為替予約等により確定する［ ② ］における円貨額により外貨建取引等を換算し、［ ③ ］為替相場との差額を［ ④ ］する方法をいう。

(1) 空欄（①から④）に当てはまる最も適切なものを選択肢の中から選んで、その記号（イ～チ）を答案用紙に記入しなさい。なお、選択肢は一度のみ使用すること。

【選択肢】

イ　決算時	ロ　原価配分	ハ　独立	ニ　一括
ホ　直物	ヘ　先物	ト　決済時	チ　期間配分

(2) 例外的な処理方法である「振当処理」が適用できるのは、どのような場合か簡潔に述べなさい。

解　答

1　(1)　外貨建金銭債権債務

外貨建金銭債権債務は、外貨額では時価の変動リスクを負わないため、時価評価の対象とはならないが、円貨額では為替相場の変動リスクを負っていることから、決算時の為替相場により換算する。

(2)　外貨建売買目的有価証券

外貨建売買目的有価証券に関する換算は、その円貨額による時価評価額を求める過程で行われるため、外国通貨による時価を決算時の為替相場により円換算した額を付す。

(3)　外貨建子会社株式

子会社株式は、事業用資産と同様の性質を有するため、取得時の為替相場により換算する。

2　名称

二取引基準

内容

二取引基準とは、外貨建取引とその取引に係る代金決済取引とを別個の取引とみなして会計処理を行う基準をいう。

理由

為替相場の変動によって生じる損益は、経営者が為替相場の変動に対してどのように対処したかを示すものであるから、当該損益は財務損益として処理すべきであるためである。

3　(1)

①	ハ	②	ト	③	ホ	④	チ

(2)

振当処理が適用できるのは、ヘッジ会計の要件を満たす場合である。

【配　点】

1 (1)　3点　(2)　3点　(3)　3点　　2　名称　1点　内容　4点　理由　4点

3 (1)　各1点　(2)　3点　　合計25点

解答への道

1　外貨建金銭債権及び外貨建有価証券の換算等及び換算の理由については以下の通りである。

(1) 外貨建金銭債権債務

①　換算等

外貨建金銭債権債務については、決算時の為替相場による円貨額を付する。決算時における換算によって生じた換算差額は、当期の為替差損益として処理する。

②　換算の理由

外貨建金銭債権債務は、外貨額では時価の変動リスクを負わないため、時価評価の対象とはならないが、円貨額では為替相場の変動リスクを負っていることから、決算時の為替相場により換算する。

(2) 外貨建売買目的有価証券

①　換算等

外貨建売買目的有価証券については、外国通貨による時価を決算時の為替相場により円換算した額を付する。当該換算差額は、当期の有価証券評価損益として処理する。

②　換算の理由

外貨建売買目的有価証券に関する換算は、その円貨額による時価評価額を求める過程で行われるため、外国通貨による時価を決算時の為替相場により円換算した額を付す。

(3) 外貨建子会社株式及び関連会社株式

①　換算等

外貨建子会社株式及び関連会社株式については、取得時の為替相場による円貨額を付する。

②　換算の理由

子会社株式及び関連会社株式は、事業用資産と同様の性質を有するため、取得時の為替相場により換算する。

2　外貨建取引の発生日から当該取引に係る外貨建金銭債権債務の決済日に至るまでの間の為替相場の変動による為替換算差額及び為替決済損益の処理としては一取引基準と二取引基準の２つの方法が考えられる。

(1) 一取引基準

一取引基準とは、外貨建取引とその取引に係る代金決済取引とを連続した一つの取引とみなして会計処理を行う基準をいう。

(2) 二取引基準

二取引基準とは、外貨建取引とその取引に係る代金決済取引とを別個の取引とみなして会計処理を行う基準をいう。このうち「外貨建取引等会計処理基準」で採用されている方法は、二取引基準である。

なお、二取引基準の採用理由としては、主に次の２つが挙げられる。

① 変動相場制のもとでは為替相場の変動によって生じる損益は、経営者が為替相場の変動に対してどのように対処したかを示す為替対策の巧拙を示すものであるから、当該損益は財務損益として処理すべきである。

② 一取引基準によれば、決済終了まで費用・収益及び資産・負債の円貨額が確定しないため、決済日の前に決算日が到来した場合に会計処理が煩雑となる。これに対し、二取引基準によれば、これらの円貨額は外貨建取引の時点で確定するため、そのような問題は生じない。

本問では、「実務上の問題点について触れる必要はない」とあるため、①について解答することとなる。

3 為替予約の会計処理についての空欄補充問題及び振当処理の適用要件を問う問題である。

(1) 独立処理

独立処理とは、為替予約等を外貨建取引と**独立**(①)した取引として会計処理する方法をいう。

(2) 振当処理

振当処理とは、為替予約等により確定する**決済時**(②)における円貨額により外貨建取引等を換算し、**直物**(③)為替相場との差額を**期間配分**(④)する方法をいう。

なお、「外貨基準」では、原則として独立処理を採用することとしているが、ヘッジ会計の要件を満たす場合には、当分の間、振当処理によることも認めている。

(MEMO)

テーマ18　包括利益表示基準

第35問　包括利益表示基準

重要度	A

次の文章は、「企業会計原則」及び企業会計基準第25号「包括利益の表示に関する会計基準」（以下、「包括利益表示基準」という。）の一部抜粋である。これに関する次の各問に答えなさい。

「企業会計原則」

損益計算書は、企業の［①］を明らかにするため、一会計期間に属するすべての［②］とこれに対応するすべての［③］とを記載して経常利益を表示し、これに特別損益に属する項目を加減して当期純利益(a)を表示しなければならない。

「包括利益表示基準」

包括利益(b)の計算の表示

6．当期純利益に［④］(c)の内訳項目を加減して包括利益を表示する。

問1　上記文中の空欄（［①］から［④］）に適切な用語を記入しなさい。

問2　上記文中の空欄［②］及び［③］が特定期間において認識されるためには、当該期間において、どのような事実が生じる必要があるか、「討議資料　財務会計の概念フレームワーク」（以下、「概念フレームワーク」という。）に基づいて述べなさい。

問3　(1) 下線部(c)の定義を「包括利益表示基準」に基づいて答えなさい。

(2) 下線部(c)の内訳項目に該当しないものが1つだけ含まれている。該当しないものを選択し、記号を答案用紙に記入しなさい。

①　その他有価証券評価差額金　　②　退職給付に係る調整額

③　売買目的有価証券評価益　　④　繰延ヘッジ損益

問4　(1) 下線部(b)の定義を答えなさい。

(2) 次の資料に基づき、仮に第2期の個別ベースの包括利益計算書を作成した場合に表示される下線部(a)から(c)の金額を答案用紙の金額欄（単位：百万円）に記入しなさい。また、第1期における下線部(c)が第2期において下線部(a)に含められることとなるが、これを「概念フレームワーク」では何と呼ぶか、答案用紙の名称欄に記入しなさい。

「第1期首においてX社株式（その他有価証券）を100百万円で取得した。第1期末における当該株式の時価は120百万円であった。第2期末において当該株式を150百万円で売却した。なお、税効果会計は考慮しないものとする」

問５　「包括利益表示基準」では、当期純利益の表示を維持しながら包括利益を表示することとしている。当該目的について、「包括利益表示基準」に基づいて述べなさい。

解　答

問１

①	経営成績	②	収益
③	費用	④	その他の包括利益

問２

投資のリスクからの解放

問３

(1)

その他の包括利益とは、包括利益のうち当期純利益に含まれない部分[3]をいう。

(2)

記号	③

問４

(1)

包括利益とは、ある企業の特定期間の財務諸表において認識された純資産の変動額[1]のうち、当該企業の純資産に対する持分所有者との直接的な取引によらない部分[2]をいう。

(2)

金額欄	下線部(a)	50	百万円
	下線部(b)	30	百万円
	下線部(c)	△20	百万円

（注）マイナスの場合には、「△」を付すこと

名称欄	リサイクリング

問５

当期純利益に関する情報と併せて利用[1]することにより、企業活動の成果についての情報の全体的な有用性を高める[2]ことを目的とするものである。

【配　点】

問１　各１点　　問２　２点　　問３(1)　３点　(2)　２点

問４(1)　３点　(2)　金額欄　各２点　名称欄　２点　　問５　３点　　合計25点

解答への道

問1

(1)「企業会計原則　第二　損益計算書原則　一」では、以下のように規定している。

> 損益計算書は、企業の**経営成績**①を明らかにするため、一会計期間に属するすべての**収益**②とこれに対応するすべての**費用**③とを記載して経常利益を表示し、これに特別損益に属する項目を加減して当期純利益を表示しなければならない。

(2)企業会計基準第25号「包括利益の表示に関する会計基準」（以下、「包括利益表示基準」という。）第6項では、以下のように規定している。

> 包括利益の計算の表示
>
> 6．当期純利益に**その他の包括利益**④の内訳項目を加減して包括利益を表示する。

問2　「討議資料　財務会計の概念フレームワーク」（以下、「概念フレームワーク」という。）第3章第13～16項では、以下のように規定している。

> 13　収益とは、純利益または少数株主損益を増加させる項目であり、特定期間の期末までに生じた資産の増加や負債の減少に見合う額のうち、投資のリスクから解放された部分である。（以下、省略）
>
> 14　収益を生み出す資産の増加は、事実としてのキャッシュ・インフローの発生という形をとる。そうしたキャッシュ・インフローについては、**投資のリスクからの解放**に基づいて、収益としての期間帰属を決める必要がある。（以下、省略）
>
> 15　費用とは、純利益または少数株主損益を減少させる項目であり、特定期間の期末までに生じた資産の減少や負債の増加に見合う額のうち、投資のリスクから解放された部分である。（以下、省略）
>
> 16　費用についても、投入要素の取得に要するキャッシュ・アウトフローとの関係が重視される。そうしたキャッシュ・アウトフローについては、**投資のリスクからの解放**に基づいて、費用としての期間帰属を決める必要がある。

したがって、上記下線部を解答することとなる。

問3

(1)「包括利益表示基準」第5項では、その他の包括利益を以下のように規定している。

> 5　「その他の包括利益」とは、**包括利益のうち当期純利益に含まれない部分をいう。**（以下、省略）

(2)「包括利益表示基準」第7項では、その他の包括利益の内訳項目（の開示）を以下のように規定している。

> 7　その他の包括利益の内訳項目は、その内容に基づいて、**その他有価証券評価差額金**、**繰延ヘッジ損益**、**為替換算調整勘定**、**退職給付に係る調整額**等に区分して表示する。（以下、省略）

したがって、「③　売買目的有価証券評価益」は、その他の包括利益（の内訳項目）には含まれないこととなる。

問4

(1)　「包括利益表示基準」第４項では、包括利益を以下のように規定している。

> 4　「包括利益」とは、**ある企業の特定期間の財務諸表において認識された純資産の変動額のうち、当該企業の純資産に対する持分所有者との直接的な取引によらない部分をいう**。（以下、省略）

(2)　包括利益30百万円（＝50百万円－20百万円）のうち、投資のリスクから解放されていない部分を除き、過年度に計上された包括利益（その他の包括利益）のうち期中に投資のリスクから解放された部分（20百万円）を加えると、純利益が求められる。

ただし、過年度に計上された包括利益（その他の包括利益）のうち期中に投資のリスクから解放された部分（20百万円）については、包括利益の二重計上となることから、当期において包括利益の計算上控除することとなる。

なお、過年度に計上された包括利益（その他の包括利益）が、期中に投資のリスクから解放され、純利益に含められるようになることを、「概念フレームワーク」では、「リサイクリング」と呼んでいる。

問5　「包括利益表示基準」の第22項では、以下のように規定している。

> 22　包括利益の表示の導入は、包括利益を企業活動に関する最も重要な指標として位置づけることを意味するものではなく、**当期純利益に関する情報と併せて利用することにより、企業活動の成果についての情報の全体的な有用性を高めることを目的とする**ものである。本会計基準は、市場関係者から広く認められている当期純利益に関する情報の有用性を前提としており、包括利益の表示によってその重要性を低めることを意図するものではない。（以下、省略）

したがって、上記下線部を解答することとなる。

(MEMO)

テーマ19　キャッシュ・フロー計算書基準

第36問　キャッシュ・フロー計算書基準

重要度	B

次の文章は、「連結財務諸表に関する会計基準」（以下、「連結基準」という。）及び「連結キャッシュ・フロー計算書等の作成基準」（以下、「連結キャッシュ基準」という。）から一部抜粋したものである。これに関連して、以下の各問に答えなさい。

「連結基準」

連結財務諸表は、［①］にある２つ以上の企業からなる集団（［②］）を単一の組織体とみなして、親会社が当該［②］の財政状態、経営成績及び［③］を総合的に報告するために作成するものである。（以下省略）

「連結キャッシュ基準」

連結キャッシュ・フロー計算書は、［②］の一会計期間における［③］を報告するために作成するものである。（以下省略）

1　空欄［①］から［③］にあてはまる適切な語句を答案用紙に記入しなさい。

2　連結財務諸表に関連して、以下の各問に答えなさい。

(1) 連結財務諸表作成上の考え方には、親会社説と経済的単一体説の２つがあるが、それぞれの考え方を簡潔に説明しなさい。

(2) 親会社説と経済的単一体説に基づいた場合の非支配株主持分の連結貸借対照表上の表示方法を簡潔に説明しなさい。

3　キャッシュ・フロー計算書に関連して、以下の各問に答えなさい。

(1) キャッシュ・フロー計算書が対象とする資金の範囲は現金及び現金同等物であるが、現金同等物の定義を「連結キャッシュ基準」に基づいて説明しなさい。また、次の【語群】の中から現金及び現金同等物に含まれるものをすべて選択し、その記号（イからヘ）を答案用紙に記入しなさい。

【語群】

イ　当座預金　　　ロ　普通預金　　　ハ　市場性のある一時所有の株式

ニ　取得日から満期日までの期間が３ヵ月の定期預金

ホ　取得日から償還日までの期間が３ヵ月のコマーシャル・ペーパー

ヘ　取得日から償還日までの期間が６ヵ月の公社債投資信託

(2) キャッシュ・フロー計算書は、「営業活動によるキャッシュ・フロー」、「投資活動によるキャッシュ・フロー」及び「財務活動によるキャッシュ・フロー」の３つに区分されるが、次の【語群】の中から「営業活動によるキャッシュ・フローの区分」、

「投資活動によるキャッシュ・フローの区分」及び「財務活動によるキャッシュ・フローの区分」に記載されるものをすべて選択し、その記号（イからチ）を答案用紙に記入しなさい。

【語群】

イ　商品の販売による収入　　　ロ　貸付金の回収による収入

ハ　社債の発行による収入

ニ　有価証券（現金同等物を除く）の売却による収入

ホ　借入金の返済による支出　　ヘ　自己株式の取得による支出

ト　従業員及び役員に対する報酬の支出　　　チ　法人税等の支払額

(3)「営業活動によるキャッシュ・フローの区分」の表示方法には、継続適用を条件として、直接法と間接法の選択適用が認められているが、直接法と間接法の長所を簡潔に説明しなさい。

(4) 次の【語群】の中から「営業活動によるキャッシュ・フローが最も大きくなる場合」を1つ選択し、その記号（イからニ）を答案用紙に記入しなさい。

【語群】

イ　期末売上債権が期首売上債権よりも大きく、期末仕入債務が期首仕入債務よりも大きい場合

ロ　期末売上債権が期首売上債権よりも大きく、期末仕入債務が期首仕入債務よりも小さい場合

ハ　期末売上債権が期首売上債権よりも小さく、期末仕入債務が期首仕入債務よりも大きい場合

ニ　期末売上債権が期首売上債権よりも小さく、期末仕入債務が期首仕入債務よりも小さい場合

解　答

1

①	支配従属関係	②	企業集団	③	キャッシュ・フローの状況

2 (1)

親会社説

親会社説とは、連結財務諸表を親会社の株主のために作成[1]するものと考え、連結財務諸表を親会社の財務諸表の延長線上[1]に位置づけて、親会社の株主の持分のみを反映[1]させる考え方である。

経済的単一体説

経済的単一体説とは、連結財務諸表を企業集団全体の株主のために作成[1]するものとする考え、連結財務諸表を親会社とは区別される企業集団全体の財務諸表[1]と位置づけて、企業集団を構成するすべての連結会社の株主の持分を反映[1]させる考え方である。

(2)

親会社説

純資産の部において株主資本以外の項目[2]として表示する。

経済的単一体説

純資産の部において株主資本の項目[2]に含めて表示する。

3 (1)

定義

現金同等物とは、容易に換金可能[1]であり、かつ、価値の変動について僅少なリスクしか負わない短期投資[1]をいう。

記　号	イ、ロ、ニ、ホ

(2)

営業活動によるキャッシュ・フローの区分	イ、ト、チ
投資活動によるキャッシュ・フローの区分	ロ、ニ
財務活動によるキャッシュ・フローの区分	ハ、ホ、ヘ

(3)

直接法の長所

直接法によれば、営業活動に係るキャッシュ・フローが総額で表示される[2]。

間接法の長所

間接法によれば、純利益と営業活動に係るキャッシュ・フローとの関係が明示される[2]。

(4)

記　号	ハ

【配　点】

1　各１点　　**2**(1) 各３点　(2) 各２点

3(1) 定義…２点　記号…１点（完答）　(2) 各１点（完答）　(3) 各２点

(4) ２点　　合計25点

解答への道

1について

「連結財務諸表に関する会計基準」（以下、「連結基準」という。）及び「連結キャッシュ・フロー計算書等の作成基準」（以下、「連結キャッシュ基準」という。）は、次のように規定している。

「連結基準」

1　本会計基準は、連結財務諸表に関する会計処理及び開示を定めることを目的とする。連結財務諸表は、**支配従属関係**①にある２つ以上の企業からなる集団（**企業集団**②）を単一の組織体とみなして、親会社が当該企業集団の財政状態、経営成績及び**キャッシュ・フローの状況**③を総合的に報告するために作成するものである。（以下省略）

「連結キャッシュ基準」

第一　作成目的

連結キャッシュ・フロー計算書は、**企業集団**②の一会計期間における**キャッシュ・フローの状況**③を報告するために作成するものである。（以下省略）

2について

連結財務諸表作成上の考え方には、親会社説及び経済的単一体説の２つがある。親会社説とは、連結財務諸表を親会社の株主のために作成するものと考え、親会社の株主の持分を強調する考え方をいう。また、経済的単一体説とは、連結財務諸表を親会社の株主のためだけではなく、非支配株主も含めたすべての株主のために作成するものとする考え方をいう。

親会社説によれば、連結財務諸表は親会社の財務諸表の延長線上に位置づけられ、親会社の株主持分のみが連結上の持分として作成される。これに対して、経済的単一体説によれば、連結財務諸表を親会社とは区別される企業集団全体の財務諸表と位置づけ、企業集団を構成するすべての株主持分が連結上の持分として作成される。

したがって、親会社説と経済的単一体説では非支配株主持分（子会社の資本のうち親会社に帰属しない部分）の取扱いが決定的に異なる。親会社説によれば、非支配株主持分は、純資産の部において株主資本以外の項目として表示される。これに対して経済的単一体説によれば、非支配株主持分は、純資産の部において株主資本の項目に含めて表示される。

3 (1)について

「連結キャッシュ基準」では、キャッシュ・フロー計算書が対象とする資金の範囲について、次のように規定している。

> 第二　作成基準
>
> 一　資金の範囲
>
> 連結キャッシュ・フロー計算書が対象とする資金の範囲は、現金及び現金同等物とする。
>
> 1　現金とは、手許現金、要求払預金及び特定の電子決済手段をいう。
>
> 2　現金同等物とは、容易に換金可能であり、かつ、価値の変動について僅少なリスクしか負わない短期投資をいう。

本問では、現金同等物の定義が要求されているため、上記＿＿部分を解答することとなる。

また、「連結キャッシュ・フロー計算書等の作成基準注解」（以下、「連結キャッシュ基準注解」という。）では、要求払預金及び現金同等物の具体例について、次のように規定している。

> （注１）要求払預金について
>
> 要求払預金には、例えば、当座預金、普通預金、通知預金が含まれる。
>
> （注２）現金同等物について
>
> 現金同等物には、例えば、取得日から満期日又は償還日までの期間が三カ月以内の短期投資である定期預金、譲渡性預金、コマーシャル・ペーパー、売戻し条件付現先、公社債投資信託が含まれる。

なお、株式は価格変動リスクが高いと考えられることから、現金同等物には含まれない。

本問では、「現金及び現金同等物に含まれるもの」が要求されているため、「イ」、「ロ」、「ニ」、「ホ」を解答することとなる。

3 (2)について

「連結キャッシュ基準注解」では、「営業活動によるキャッシュ・フローの区分」、「投資活動によるキャッシュ・フローの区分」及び「財務活動によるキャッシュ・フローの区分」について、次のように規定している。

> （注３）「営業活動によるキャッシュ・フロー」の区分について
>
> 「営業活動によるキャッシュ・フロー」の区分には、例えば、次のようなものが記載される。
>
> (1)　商品及び役務の販売による収入
>
> (2)　商品及び役務の購入による支出
>
> (3)　従業員及び役員に対する報酬の支出
>
> (4)　災害による保険金収入
>
> (5)　損害賠償金の支払

（注４）「投資活動によるキャッシュ・フロー」の区分について

「投資活動によるキャッシュ・フロー」の区分には、例えば、次のようなものが記載される。

(1) 有形固定資産及び無形固定資産の取得による支出

(2) 有形固定資産及び無形固定資産の売却による収入

(3) 有価証券（現金同等物を除く）及び投資有価証券の取得による支出

(4) 有価証券（現金同等物を除く）及び投資有価証券の売却による収入

(5) 貸付けによる支出

(6) 貸付金の回収による収入

（注５）「財務活動によるキャッシュ・フロー」の区分について

「財務活動によるキャッシュ・フロー」の区分には、例えば、次のようなものが記載される。

(1) 株式の発行による収入

(2) 自己株式の取得による支出

(3) 配当金の支払

(4) 社債の発行及び借入れによる収入

(5) 社債の償還及び借入金の返済による支出

なお、法人税等は、それぞれの活動から生じる課税所得をもとに算定されるものであるため、理論的には、それぞれの活動区分に分けて記載すべきこととなる。しかし、それぞれの活動ごとに課税所得を分割することは、一般的に困難であると考えられるため、「営業活動によるキャッシュ・フローの区分」に一括して記載する。

したがって、営業活動によるキャッシュ・フローの区分については、「イ」、「ト」、「チ」、投資活動によるキャッシュ・フローの区分については、「ロ」、「ニ」、財務活動によるキャッシュ・フローの区分については、「ハ」、「ホ」、「ヘ」を解答することとなる。

3 (3)について

「連結キャッシュ・フロー計算書等の作成基準の設定に関する意見書」では、「営業活動によるキャッシュ・フローの区分」の表示方法について、次のように規定している。

三 「連結キャッシュ・フロー計算書等の作成基準」の概要

4 表示方法

「営業活動によるキャッシュ・フロー」の表示方法には、主要な取引ごとに収入総額と支出総額を表示する方法（直接法）と、純利益に必要な調整項目を加減して表示する方法（間接法）とがあるが、次のような理由から、継続適用を条件として、これらの方法の選択適用を認めることとする。

① 直接法による表示方法は、営業活動に係るキャッシュ・フローが総額で表示され

る点に長所が認められること。

② 直接法により表示するためには親会社及び子会社において主要な取引ごとにキャッシュ・フローに関する基礎データを用意することが必要であり、実務上手数を要すると考えられること。

③ 間接法による表示方法も、純利益と営業活動に係るキャッシュ・フローとの関係が明示される点に長所が認められること。

したがって、上記＿＿部分を解答することとなる。

3 (4)について

売上債権は期中に減少した場合（期末売上債権が期首売上債権よりも小さい場合）に営業活動によるキャッシュ・フローがプラスになり、仕入債務は期中に減少した場合（期末仕入債務が期首仕入債務よりも小さい場合）に営業活動によるキャッシュ・フローがマイナスになる。

したがって、売上債権が期中に減少し、仕入債務が期中に増加した場合（「ハ：期末売上債権が期首売上債権よりも小さく、期末仕入債務が期首仕入債務よりも大きい場合」）に営業活動によるキャッシュ・フローが最も大きくなる。

(MEMO)

テーマ20　連結財務諸表基準・四半期財務諸表基準

第37問　連結財務諸表基準

重要度	B

次の文章は、「連結財務諸表に関する会計基準」、「包括利益の表示に関する会計基準」及び「貸借対照表の純資産の部の表示に関する会計基準」からの一部抜粋である。これに関連して、以下の各問に答えなさい。

「連結財務諸表に関する会計基準」

連結財務諸表は、支配従属関係(イ)にある２つ以上の企業からなる集団（ ① ）を単一の組織体とみなして、 ② が当該 ① の財政状態、経営成績及びキャッシュ・フローの状況を総合的に報告するために作成するものである。

「包括利益の表示に関する会計基準」

③ にその他の包括利益(ロ)の内訳項目を加減して包括利益(ハ)を表示する。

「貸借対照表の純資産の部の表示に関する会計基準」

株主資本以外の各項目は、次の区分とする。

(1) 個別貸借対照表上、評価・換算差額等(ニ)、 ④ 及び ⑤ に区分する。

(2) 連結貸借対照表上、評価・換算差額等(ニ)、 ④ 、 ⑤ 及び非支配株主持分(ホ)に区分する。

1　空欄①から⑤にあてはまる適切な語句を答案用紙に記入しなさい。

2　下線部(イ)に関連して、子会社の判定方法には、持株基準と支配力基準の２つがあるが、「連結財務諸表に関する会計基準」ではいずれの方法が採用されているか、その方法の名称を記入しなさい。

3　下線部(ロ)及び(ハ)に関連して、その他の包括利益及び包括利益の定義を記載しなさい。

4　下線部(ニ)に関連して、以下の各問に答えなさい。

(1) 評価・換算差額等が貸借対照表上、株主資本以外の項目とされる理由を簡潔に説明しなさい。

(2) 連結貸借対照表上、これまでに公表されている会計基準で使用されている評価・換算差額等という用語はどのような用語で読み替えることとされているか、その用語を記入しなさい。

5　下線部(ホ)に関連して、以下の各問に答えなさい。

(1) 非支配株主持分は、これまでは少数株主持分という名称で呼ばれていたが、「連結財務諸表に関する会計基準」等の会計基準では、非支配株主持分という名称に変更されている。このような名称に変更された理由を記載しなさい。

(2) 非支配株主持分が貸借対照表上、株主資本以外の項目とされる理由を簡潔に説明しなさい。

解　答

1

①	企業集団	②	親会社	③	当期純利益	④	株式引受権
⑤	新株予約権						

2

名称	支配力基準

3

その他の包括利益の定義

その他の包括利益とは、包括利益[1]のうち当期純利益に含まれない部分[2]をいう。

包括利益の定義

包括利益とは、ある企業の特定期間[1]の財務諸表において認識された純資産の変動額[1]のうち、当該企業の純資産に対する持分所有者との直接的な取引によらない部分[1]をいう。

4

(1)

評価・換算差額等は、払込資本ではなく[1]、かつ、未だ当期純利益に含められていない[3]ことから、株主資本以外の項目とされる。

(2)

用語	その他の包括利益累計額

5

(1)

他の企業の議決権の過半数を所有していない株主であっても他の会社を支配し親会社となることがあり得る[3]ことから、より正確な表現とするため[1]である。

(2)

非支配株主持分は、子会社の資本のうち親会社に帰属していない部分[2]であり、親会社株主に帰属するものではないため[2]株主資本以外の項目とされる。

【配　点】

1　各1点　　2　1点　　3　その他の包括利益　3点　包括利益　3点

4 (1)　4点　(2)　1点　　5 (1)　4点　(2)　4点　　合計25点

解答への道

1について

「連結財務諸表に関する会計基準」、「包括利益の表示に関する会計基準」及び「貸借対照表の純資産の部の表示に関する会計基準」は、次のように規定している。

「連結財務諸表に関する会計基準」
1．本会計基準は、連結財務諸表に関する会計処理及び開示を定めることを目的とする。連結財務諸表は、支配従属関係にある２つ以上の企業からなる集団（企業集団①）を単一の組織体とみなして、親会社②が当該企業集団①の財政状態、経営成績及びキャッシュ・フローの状況を総合的に報告するために作成するものである。
「包括利益の表示に関する会計基準」
6．当期純利益③にその他の包括利益の内訳項目を加減して包括利益を表示する。
「貸借対照表の純資産の部の表示に関する会計基準」
7．株主資本以外の各項目は、次の区分とする。 (1) 個別貸借対照表上、評価・換算差額等、株式引受権④及び新株予約権⑤に区分する。 (2) 連結貸借対照表上、評価・換算差額等、株式引受権④、新株予約権⑤及び非支配株主持分に区分する。

2について

「連結財務諸表に関する会計基準」は、子会社の判定方法について、次のように規定している。

> 54．平成９年連結原則以前の連結原則では、子会社の判定基準として、親会社が直接・間接に議決権の過半数を所有しているかどうかにより判定を行う持株基準が採用されていたが、国際的には、実質的な支配関係の有無に基づいて子会社の判定を行う支配力基準が広く採用されていた。それまで我が国で採用されていた持株基準も支配力基準の１つと解されるが、議決権の所有割合が100分の50以下であっても、その会社を事実上支配しているケースもあり、そのような被支配会社を連結の範囲に含まない連結財務諸表は、企業集団に係る情報としての有用性に欠けることになる。このような見地から、平成９年連結原則では、<u>子会社の判定基準として、議決権の所有割合以外の要素を加味した支配力基準を導入し、他の会社（会社に準ずる事業体を含む。）の意思決定機関を支配しているかどうかという観点から、会計基準を設定した</u>。本会計基準でも、このような従来の取扱いを踏襲した取扱いを定めている。

したがって、上記の下線部＿＿から、「連結財務諸表に関する会計基準」において採用されている子会社の判定方法は、「支配力基準」となる。

3について

「包括利益の表示に関する会計基準」は、包括利益及びその他の包括利益の定義について、次のように規定している。

> 4．「包括利益」とは、ある企業の特定期間の財務諸表において認識された純資産の変動額のうち、当該企業の純資産に対する持分所有者との直接的な取引によらない部分をいう。当該企業の純資産に対する持分所有者には、当該企業の株主のほか当該企業の発行する新株予約権の所有者が含まれ、連結財務諸表においては、当該企業の子会社の非支配株主も含まれる。
>
> 5．「その他の包括利益」とは、包括利益のうち当期純利益に含まれない部分をいう。連結財務諸表におけるその他の包括利益には、親会社株主に係る部分と非支配株主に係る部分が含まれる。

したがって、包括利益の定義については、上記の下線部____を、その他の包括利益の定義については、上記の下線部____を解答することとなる。

4(1)について

「貸借対照表の純資産の部の表示に関する会計基準」は、評価・換算差額等が貸借対照表上、株主資本以外の項目とされる理由について、次のように規定している。

> 33．平成17年会計基準では、評価・換算差額等は、払込資本ではなく、かつ、未だ当期純利益に含められていないことから、株主資本とは区別し、株主資本以外の項目とした。（以下省略）

したがって、上記の下線部____を要約して解答することとなる。

4(2)について

「包括利益の表示に関する会計基準」は、評価・換算差額等の連結財務諸表上の読み替えについて、次のように規定している。

> 16．連結財務諸表上は、これまでに公表された会計基準等で使用されている「損益計算書」又は純資産の部の「評価・換算差額等」という用語は、「連結損益計算書又は連結損益及び包括利益計算書」又は「その他の包括利益累計額」と読み替えるものとする。また、この場合、当該会計基準等で定められている評価・換算差額等の取扱いは本会計基準が優先するものとする。

したがって、上記の下線部____から、連結貸借対照表上は、「その他の包括利益累計額」と読み替えることとなる。

5(1)について

「連結財務諸表に関する会計基準」は、非支配株主持分という名称に変更した理由について、次のように規定している。

55-2. 平成25年改正会計基準では、少数株主持分を非支配株主持分に変更することとした。これは、他の企業の議決権の過半数を所有していない株主であっても他の会社を支配し親会社となることがあり得るため、より正確な表現とするためである。これに合わせて、少数株主損益を、非支配株主に帰属する当期純利益に変更することとした。

したがって、上記の下線部____を要約して解答することとなる。

5 (2)について

「貸借対照表の純資産の部の表示に関する会計基準」は、非支配株主持分が貸借対照表上、株主資本以外の項目とされる理由について、次のように規定している。

32. 平成17年会計基準では、新株予約権は、報告主体の所有者である株主とは異なる新株予約権者との直接的な取引によるものであり、また、非支配株主持分は、子会社の資本のうち親会社に帰属していない部分であり、いずれも親会社株主に帰属するものではないため、株主資本とは区別することとした。(以下省略)

したがって、上記の下線部____を要約して解答することとなる。

(MEMO)

第38問 連結財務諸表基準・四半期財務諸表基準

重要度	B

1　下記の文章は、「連結財務諸表に関する会計基準」（以下、「連結基準」という。）の一部を抜粋したものである。これに関連する以下の各問に答えなさい。

> 連結貸借対照表の作成にあたっては、支配獲得日において、［①］の資産及び負債のすべてを支配獲得日の時価により評価する方法（［②］）により評価する。
>
> 平成９年連結原則以前の連結原則では、［①］の判定基準として、親会社が直接・間接に議決権の過半数を所有しているかどうかにより判定を行う［③］基準が採用されていたが……中　略……平成９年連結原則では、［①］の判定基準として、議決権の所有割合以外の要素を加味した［④］基準を導入し……以下、省略……

(1) 空欄［①］から［④］にあてはまる用語を答えなさい。

(2) 平成９年連結原則以降、上記下線部ではなく、空欄［④］基準により空欄［①］を判定することとなった理由を企業集団に係る情報としての有用性の観点から「連結基準」に基づき説明しなさい。

(3) 従来、空欄［①］の資産及び負債の評価方法として、時価評価する空欄［①］の資産及び負債の範囲を親会社の持分に相当する部分に限定する方法も認められていたが、当該評価方法の名称を指摘するとともに、当該評価方法と整合的な連結基礎概念について説明しなさい。

2　下記の文章は、「四半期財務諸表に関する会計基準」（以下、「四半期基準」という。）から抜粋したものである。これに関連する以下の各問に答えなさい。

> 四半期連結財務諸表の作成のために採用する会計方針は、四半期特有の会計処理を除き、原則として［⑤］の作成にあたって採用する会計方針に準拠しなければならない。

(1) 空欄［⑤］にあてはまる用語を答えなさい。

(2) 上記下線部を適用して四半期財務諸表を作成する考え方（以下、「(2)の考え方」という。）の名称を答えなさい。

(3) 下記に示した文章について、誤っている箇所があれば答案用紙の正誤欄に×印を、誤っている箇所がなければ○印を記入しなさい。また、×印を記入した場合には、そのように解答した理由を「四半期基準」に基づき説明しなさい。

> ①「(2)の考え方」を採用した場合、季節変動性を把握することは不可能である。
>
> ②　四半期基準では、年度の財務諸表よりも簡便的な会計処理によることは認められていない。

解答

1 (1)

①	子会社	②	全面時価評価法	③	持株	④	支配力

(2)

議決権の所有割合が100分の50以下であっても、その会社を事実上支配しているケースもあり[2]、そのような被支配会社を連結の範囲に含まない連結財務諸表は、企業集団に係る情報としての有用性に欠ける[2]ことになるためである。

(3)

評価方法

部分時価評価法

整合的な連結基礎概念

部分時価評価法と整合的な連結基礎概念は親会社説[2]である。
親会社説とは、連結財務諸表を親会社の株主のために作成[1]するものと考え、連結財務諸表を親会社の財務諸表の延長線上に位置づけて、親会社の株主の持分のみを反映[1]させる考え方である。

2 (1)

年度の連結財務諸表

(2)

実績主義

(3)

	正誤欄	理由（誤っている箇所がない場合には、何も記載しなくてよい）
①	×	季節変動性については、(2)の考え方を採用した場合であっても、十分な定性的情報や前年同期比較を開示することにより対応できる[4]ためである。
②	×	四半期財務諸表は、年度の財務諸表よりも開示の迅速性が求められていることから、簡便的な会計処理が認められているため[4]である。

【配　点】

1 (1) 各１点　(2) ４点　(3) **評価方法**　２点　**整合的な連結基礎概念**　４点

2 (1) １点　(2) ２点　(3)（正誤欄及び理由が共に正解で）各４点　　合計25点

解答への道

1 (1)について

「連結財務諸表に関する会計基準」（以下、「連結基準」という。）20項及び54項からの空欄補充問題である。

連結貸借対照表の作成にあたっては、支配獲得日において、子会社①の資産及び負債のすべてを支配獲得日の時価により評価する方法（全面時価評価法②）により評価する。
平成9年連結原則以前の連結原則では、子会社①の判定基準として、親会社が直接・間接に議決権の過半数を所有しているかどうかにより判定を行う持株③基準が採用されていたが……中　略……平成9年連結原則では、子会社①の判定基準として、議決権の所有割合以外の要素を加味した支配力④基準を導入し、他の会社（会社に準ずる事業体を含む。）の意思決定機関を支配しているかどうかという観点から、会計基準を設定した。本会計基準でも、このような従来の取扱いを踏襲した取扱いを定めている。

(2)について

「連結基準」54項では、支配力基準が導入されることとなった理由について、以下のように規定している。

平成9年連結原則以前の連結原則では、子会社の判定基準として、親会社が直接・間接に議決権の過半数を所有しているかどうかにより判定を行う持株基準が採用されていたが、国際的には、実質的な支配関係の有無に基づいて子会社の判定を行う支配力基準が広く採用されていた。それまで我が国で採用されていた持株基準も支配力基準の1つと解されるが、議決権の所有割合が100分の50以下であっても、その会社を事実上支配しているケースもあり、そのような被支配会社を連結の範囲に含まない連結財務諸表は、企業集団に係る情報としての有用性に欠けることになる。このような見地から、平成9年連結原則では、子会社の判定基準として、議決権の所有割合以外の要素を加味した支配力基準を導入し、他の会社（会社に準ずる事業体を含む。）の意思決定機関を支配しているかどうかという観点から、会計基準を設定した。

したがって、上記下線部に基づいて解答することとなる。

(3)について

連結財務諸表作成のルールを設定するにあたり、「連結基礎概念」に照らした検討がなされることがある。連結基礎概念とは、連結財務諸表がどのような立場から、どのような性質を持つものとして作成されるのかという一種の仮定であり、通常「親会社説（親会社概念）」と「経済的単一体説（実体概念）」の比較によって論じられることが多い。

本問では子会社の資産及び負債の評価方法として、時価評価する子会社の資産及び負債の範囲を親会社の持分に相当する部分に限定する方法（部分時価評価法）及び、当該方法と整合する連結基礎概念について問うている。

部分時価評価法とは、子会社の資産及び負債のうち、親会社の持分に相当する部分については株式取得日ごとに当該日における時価により評価し、非支配株主持分に相当する部分については子会社の個別貸借対照表上の金額による方法である。当該方法は、子会社の資産及び負債のうち親会社に帰属する部分を区分し、当該部分のみを時価により評価することから、子会社の資本に対する親会社持分を重視した方法といえるため、親会社説と整合的であるといえる。

ここに、親会社説とは、連結財務諸表を親会社の株主のために作成するものと考え、連結財務諸表を親会社の財務諸表の延長線上に位置づけて、親会社の株主の持分のみを反映させる考え方である。

2 (1)について

「四半期財務諸表に関する会計基準」（以下、「四半期基準」という。）９項からの空欄補充問題である。

> 四半期連結財務諸表の作成のために採用する会計方針は、四半期特有の会計処理を除き、原則として<u>年度の連結財務諸表</u>⑤の作成にあたって採用する会計方針に準拠しなければならない。

(2)及び(3)①について

「四半期基準」39項では、実績主義及び予測主義について、以下のように規定している。

> 四半期財務諸表の性格付けについては、中間財務諸表と同様、「実績主義」と「予測主義」という２つの異なる考え方がある。
>
> 「実績主義」とは、四半期会計期間を年度と並ぶ一会計期間とみた上で、四半期財務諸表を、原則として年度の財務諸表と同じ会計方針を適用して作成することにより、当該四半期会計期間に係る企業集団又は企業の財政状態、経営成績及びキャッシュ・フローの状況に関する情報を提供するという考え方である。これは、我が国の中間作成基準や国際会計基準で採用されている考え方である。また、カナダ基準も、基本的には、「実績主義」を採用している。
>
> 一方、「予測主義」は、四半期会計期間を年度の一構成部分と位置付けて、四半期財務諸表を、年度の財務諸表と部分的に異なる会計方針を適用して作成することにより、当該四半期会計期間を含む年度の業績予測に資する情報を提供するという考え方である。昭和48年に制定された米国基準や我が国の平成10年改訂前の「中間財務諸表作成基準」は、この考え方に基づいている。
>
> ＜中　略＞
>
> (2) <u>季節変動性については、「実績主義」による場合でも、十分な定性的情報や前年同期比較を開示することにより、財務諸表利用者を誤った判断に導く可能性を回避できると考えられる</u>こと
>
> ＜以下、省略＞

したがって、(2)は「実績主義」となり、(3)①は、正誤欄に「×」と記入したうえで、上記下線部に基づいて理由を解答することとなる。

(3)②について

「四半期基準」47項では、四半期会計期間における会計処理について、以下のように規定している。

> 四半期財務諸表は、年度の財務諸表や中間財務諸表よりも開示の迅速性が求められている。本会計基準では、この点を踏まえ、四半期会計期間及び期首からの累計期間に係る企業集団又は企業の財政状態、経営成績及びキャッシュ・フローの状況に関する財務諸表利用者の判断を誤らせない限り、中間作成基準よりも簡便的な会計処理によることができることとした。

したがって、正誤欄に「×」と記入した上で、上記下線部に基づいて解答することとなる。

(MEMO)

テーマ21　会計上の変更等基準

第39問　会計上の変更等基準①

重要度	B

企業会計基準第24号「会計方針の開示、会計上の変更及び誤謬の訂正に関する会計基準」(以下、「基準」という。) に関する以下の各問について、答案用紙の所定の箇所に解答を記入しなさい。

1　次の文章は「基準」から抜粋したものである。以下の問に答えなさい。

> 4　本会計基準における用語の定義は次のとおりとする。
>
> (1)「会計方針」とは、財務諸表の作成にあたって採用した［①］をいう。(以下略)
>
> (5)「会計方針の変更」とは、従来採用していた［②］から他の［②］に変更することをいう。(以下略)
>
> 5　<u>会計方針は、［③］により変更を行う場合を除き、［④］する。</u>［③］により変更を行う場合は、次のいずれかに分類される。(以下略)

(1) 空欄［①］から［④］に適切な用語を記入しなさい。

(2) 下線部に関して従来から要請する原則の名称を示しなさい。また、当該原則の必要性を述べなさい。

2　会計方針を変更した場合遡及処理が求められるが、同じく遡及処理が求められるものが２つある。その２つを示すとともに、「基準」では、それぞれの遡及処理（会計方針の変更を含む。）をどのような表現を用いて表しているか示しなさい。

3　遡及処理が行われるものは、基本的に上記１の(2)の観点等からその処理が求められることとなると言われている。しかし、他の２つとは区別し、上記１の(2)の観点等からではなく、当然の要請として会計基準を定めておくべきものとして「基準」が指摘するものがある。それが何かを示しなさい。

4 「基準」において遡及処理が行われないものが１つある。それが何かを示し、どのような取扱いがなされるのか述べなさい。また、遡及処理が行われない理由について、「基準」に即して述べなさい。

解　答

1 (1)

①	会計処理の原則及び手続	②	一般に公正妥当と認められた会計方針
③	正当な理由	④	毎期継続して適用

(2)

当該原則は、継続性の原則[1]であり、経営者の利益操作を排除[1]し、財務諸表の期間比較性を確保するため[1]に必要となる。

2

遡及処理を行うもの	基準の表現
会計方針の変更	遡及適用
表示方法の変更	財務諸表の組替え
過去の誤謬の訂正	修正再表示

3

過去の誤謬の訂正

4　遡及処理を行わないものの名称及び取扱い

遡及処理が行われないのは、会計上の見積りの変更[2]である。会計上の見積りの変更は、当該変更が変更期間のみに影響する場合には、当該変更期間に会計処理[1]を行い、当該変更が将来の期間にも影響する場合には、将来にわたり会計処理[1]を行う。

遡及処理が行われない理由

会計上の見積りの変更は、新しい情報によってもたらされるものである[2]との認識から、過去に遡って処理せず、その影響は将来に向けて認識するという考え方がとられている[2]ためである。

【配　点】

1 (1) 各2点　(2) 3点　　2　4点（完答）　　3　2点

4　各4点　　合計25点

解答への道

1について

(1) 企業会計基準第24号「会計方針の開示、会計上の変更及び誤謬の訂正に関する会計基準」(以下、「基準」という。) では、以下のように規定している。

> 4　本会計基準における用語の定義は次のとおりとする。
>
> (1)「会計方針」とは、財務諸表の作成にあたって採用した<u>会計処理の原則及び手続</u>①をいう。(以下略)
>
> (5)「会計方針の変更」とは、従来採用していた<u>一般に公正妥当と認められた会計方針</u>②から他の<u>一般に公正妥当と認められた会計方針</u>②に変更することをいう。(以下略)
>
> 5　会計方針は、<u>正当な理由</u>③により変更を行う場合を除き、<u>毎期継続して適用</u>④する。<u>正当な理由</u>③により変更を行う場合は、次のいずれかに分類される。(以下略)

(2)「企業会計原則　第一　一般原則　五」では、以下のように規定している。

> 企業会計は、その処理の原則及び手続を毎期継続して適用し、みだりにこれを変更してはならない。

当該規定を「継続性の原則」と呼ぶ。これが必要とされるのは、経営者の利益操作を排除し、財務諸表の期間比較性を確保するためであるが、問題では「会計情報の有用性の観点から」とあるため、「財務諸表の期間比較性の確保」を解答することとなる。

2について

「基準」の27項、44項では、以下のように規定している。

> 27. 財務諸表の遡及処理(「<u>遡及処理とは、遡及適用、財務諸表の組替え又は修正再表示により、過去の財務諸表を遡及的に処理することをいう</u>。以下同じ。)については、平成13年11月のテーマ協議会からの提言書において取り上げられていた。(以下略)
>
> 44. 国際的な会計基準では、遡及処理を行うものを、<u>会計方針の変更に関する「遡及適用」や表示方法の変更に関する「財務諸表の組替え」とは別に、過去の誤謬の訂正については「修正再表示」と定義して、明確に区別</u>している。<u>本会計基準でも、国際的な会計基準を参考に、「遡及適用」及び「財務諸表の組替え」と「修正再表示」とを分けて定義</u>することとした (第4項(9)から(11)参照)。

上記下線部を解答することとなる。

3について

「基準」の65項では、以下のように規定している。

> 65. しかしながら、会計上の誤謬の取扱いに関し、IAS 第8号及び FASB-ASC Topic250における誤謬を修正再表示する考え方を導入することは、期間比較が可能な情報を開示するという観点からも有用であり、国際的な会計基準とのコンバージェンスを図るという

観点からも望ましいと考えられる。また、誤謬のある過去の財務諸表を修正再表示することは、会計方針の変更に関する遡及適用等とは性格が異なっており、比較可能性の確保や会計基準のコンバージェンスの促進という観点からではなく、当然の要請として会計基準を定めておくべきであるとの指摘がある。(以下略)

上記下線部を根拠とし、「過去の誤謬の訂正」と解答することとなる。

4について

「基準」の17項、55項では、以下のように規定している。

17. 会計上の見積りの変更は、当該変更が変更期間のみに影響する場合には、当該変更期間に会計処理を行い、当該変更が将来の期間にも影響する場合には、将来にわたり会計処理を行う。

55. 我が国の従来の取扱いにおいては、会計上の見積りの変更をした場合、過去の財務諸表に遡って処理することは求められていない。また、国際的な会計基準においても、会計上の見積りの変更は、新しい情報によってもたらされるものであるとの認識から、過去に遡って処理せず、その影響は将来に向けて認識するという考え方がとられている。

検討の結果、本会計基準では、会計上の見積りの変更に関しては従来の取扱いを踏襲し、過去に遡って処理せず、その影響を当期以降の財務諸表において認識することとした。(以下略)

上記下線部を解答することとなる。

(MEMO)

第40問　会計上の変更等基準②

重要度	B

次の文章は、「企業会計原則」及び「会計方針の開示、会計上の変更及び誤謬の訂正に関する会計基準」（以下「基準」という。）の一部を抜粋したものである。これらの文章に関連する以下の各問に答えなさい。

> 「企業会計原則」　一般原則五
>
> 企業会計は、その［①］を［②］して適用し、［③］これを変更してはならない。
>
> 「基準」
>
> 会計方針は、正当な理由により変更を行う場合を除き、［②］して適用する。正当な理由により変更を行う場合は、次のいずれかに分類される。
>
> …（中　略）…
>
> 我が国の従来の取扱いでは、財務諸表等規則等において、会計方針の変更を行った場合、会計方針の変更が当該変更期間の財務諸表に与えた影響に関する［④］を求める定めはあるものの、過去の財務諸表に新しい会計方針を［⑤］することを求める定めはない。
>
> …（中　略）…
>
> 会計方針の変更を行った場合に過去の財務諸表に対して新しい会計方針を［⑤］すれば、原則として財務諸表本体のすべての項目（会計処理の変更に伴う注記の変更も含む。）に関する情報が比較情報として提供されることにより、特定の項目だけではなく、［⑥］についての［⑦］が高まるものと考えられる。また、当期の財務諸表との［⑦］を確保するために、過去の財務諸表を変更後の会計方針に基づき比較情報として提供することにより、［⑧］が高まることが期待される。（以下省略）

1　上記文章の空欄［①］から［⑧］に当てはまる適切な語句を記入しなさい。

2　「企業会計原則」一般原則五が必要とされる理由を説明しなさい。

3　「基準」では、減価償却方法の変更は、会計方針の変更ではあるものの、会計上の見積りの変更と区別することが困難な場合に該当し、過去に遡って遡及処理することなく会計上の見積りの変更と同様に会計処理を行うこととしている。その理由を説明しなさい。なお、解答にあたって国際的調和化について触れる必要はない。

4　次の文章のうち、「基準」の内容として、適切なものを全て選択し、記号（A～E）で解答しなさい。

A　遡及適用とは、過去の財務諸表における誤謬の訂正を財務諸表に反映することをいう。

B　会計上の見積りの変更は、新たに入手可能となった情報に基づいて、過去に財務諸表を作成する際に行った会計上の見積りを変更することをいうため、当該変更はいかなる場合も将来にわたり会計処理を行う。

C　新たな会計方針を遡及適用する場合には、表示期間（当期の財務諸表及びこれに併せて過去の財務諸表が表示されている場合の、その表示期間をいう。）より前の期間に関する遡及適用による累積的影響額は、表示する財務諸表のうち、最も古い期間の期首の資産、負債及び純資産の額に反映する。

D　回収不能債権に対する貸倒見積額の見積りの変更は当期の損益や資産の額に影響を与えるため、当該影響は当期においてのみ認識する。

解　答

1

①	処理の原則及び手続	②	毎期継続
③	みだりに	④	注記
⑤	遡及適用	⑥	財務諸表全般
⑦	比較可能性	⑧	情報の有用性

2

継続性の原則は、経営者の利益操作を排除[3]し、財務諸表の期間比較性を確保[3]するために必要となる。

3

減価償却方法の変更は、計画的・規則的な償却方法の中での変更[1]であることから、その変更は会計方針の変更ではある[1]ものの、その変更の場面においては固定資産に関する経済的便益の消費パターンに関する見積りの変更を伴う[4]ものと考えられるためである。

4

C、D

【配　点】

1　各1点　　2　6点　　3　6点　　4　5点（完答）　　合計25点

解答への道

1　空所補充

「企業会計原則」　一般原則五

企業会計は、その**処理の原則及び手続**を**毎期継続**して適用し、**みだりに**これを変更してはならない。

…（中　略）…

「基準」

会計方針は、正当な理由により変更を行う場合を除き、**毎期継続**して適用する。正当な理由により変更を行う場合は、次のいずれかに分類される。

…（中　略）…

我が国の従来の取扱いでは、財務諸表等規則等において、会計方針の変更を行った場合、会計方針の変更が当該変更期間の財務諸表に与えた影響に関する**注記**を求める定めはあるものの、過去の財務諸表に新しい会計方針を**遡及適用**することを求める定めはない。

…（中　略）…

会計方針の変更を行った場合に過去の財務諸表に対して新しい会計方針を**遡及適用**すれば、原則として財務諸表本体のすべての項目（会計処理の変更に伴う注記の変更も含む。）に関する情報が比較情報として提供されることにより、特定の項目だけではなく、**財務諸表全般**についての**比較可能性**が高まるものと考えられる。また、当期の財務諸表との**比較可能性**を確保するために、過去の財務諸表を変更後の会計方針に基づき比較情報として提供することにより、**情報の有用性**が高まることが期待される。

2について

継続性の原則は、いくつかの選択適用が認められた会計処理の原則又は手続が存在する場合に、いったん採用した会計処理の原則及び手続を毎期継続して適用することを要請するものである。なお、継続性の原則は、表示の方法に関しても毎期継続して適用することを要請しているとみる見解もある。

また、継続性の原則は、経営者の利益操作を排除し、財務諸表の期間比較性を確保するために必要となる。

3について

「基準」は、次のように規定している。

62. 減価償却方法の変更は、前項で指摘されているように計画的・規則的な償却方法の中での変更であることから、その変更は会計方針の変更ではあるものの、その変更の場面においては固定資産に関する経済的便益の消費パターンに関する見積りの変更を伴うものと考えられる。

このため本会計基準においては、減価償却方法については、これまでどおり会計方針として位置付けることとする一方、減価償却方法の変更は、会計方針の変更を会計上の見積りの変更と区別することが困難な場合に該当するものとし、会計上の見積りの変更と同様に会計処理を行い、その遡及適用は求めないこととした。

したがって、上記下線部を解答することとなる。

4について

A：　過去の財務諸表における誤謬の訂正を財務諸表に反映することは、修正再表示である。

B：　会計上の見積りの変更は、当該変更が変更期間のみに影響する場合には、当該変更期間に会計処理を行い、当該変更が将来の期間にも影響する場合には、将来にわたり会計処理を行う。

C：○

D：○

（MEMO）

テーマ22	収益認識基準

第41問 収益認識基準

重要度	A

次の文章は「収益認識に関する会計基準」から一部を抜粋したものである。これに関連する以下の各問に答えなさい。

> 本会計基準の基本となる原則は、約束した［①］又は［②］の［③］への移転を当該［①］又は［②］と交換に企業が権利を得ると見込む対価の額で描写するように、収益を認識することである。
>
> 基本となる原則に従って収益を認識するために、次の(1)から(5)のステップを適用する。
>
> (1) ［③］との契約を識別する。
>
> (2) 契約における履行義務を識別する。
>
> (3) ［④］を算定する。
>
> (4) 契約における履行義務に［④］を配分する
>
> (5) 履行義務を充足した時に又は充足するにつれて収益を認識する

1　空欄［①］から［④］に入る適切な用語を答えなさい。

2　空欄［④］を算定する際に考慮すべき要素の一つに「変動対価」がある。「変動対価」について述べた次の文章の下線部のうち、明らかに誤っているものを２つ選び記号で答え、さらに正しい語句に修正しなさい。

> 変動対価の額の見積りにあたっては、発生し得ると考えられる対価の額における最も可能性の高い単一(ア)の金額（最頻値）による方法又は発生し得ると考えられる対価の額を確率で加重平均(イ)した金額（期待値）による方法のいずれかのうち、企業(ウ)が権利を得ることとなる対価の額をより適切に予測できる方法を用いる。
>
> ［③］から受け取った又は受け取る対価の一部あるいは全部を［③］に返金すると見込む場合受け取った又は受け取る対価の額のうち、企業が権利を得ると見込まない額について、契約負債(エ)を認識する。
>
> 上記に従って見積られた変動対価の額については、変動対価の額に関する不確実性が事後的(オ)に解消される際に、解消(カ)される時点までに計上された収益の著しい減額(キ)が発生しない可能性が高い部分に限り、取引価格に含めない(ク)。

3　上記下線部に関して、以下の各問に答えなさい。

一定の期間にわたり充足される履行義務については、履行義務の充足に係る［⑤］を見積り、当該［⑤］に基づき収益を一定の期間にわたり認識する。

(1) 空欄［⑤］に入る適切な用語を答えなさい。

(2) 収益を一定の期間にわたり認識するにあたっては、履行義務の充足に係る［⑤］を見積る必要があり、「収益認識基準」では［⑤］の見積り方法としてアウトプット法以外にもう１つの方法を示している。当該方法の名称を答え、当該方法において使用される指標として正しいと考えられるものを下記の語群から２つ選択し、記号（ア～エ）で答えなさい。

【語群】

ア　生産単位数	イ　引渡単位数	ウ　発生したコスト	エ　消費した資源

(3) 履行義務の充足に係る［⑤］を合理的に見積ることができないが、当該履行義務を充足する際に発生する費用を回収することが見込まれる場合に求められる処理方法（名称）を答えなさい。

(4) 上記(3)で解答した処理方法について説明しなさい。

4　「収益認識に関する会計基準」に関する次の記述について、正しいものには○、誤っているものには×を付しなさい。

ア　割賦販売は、代金が分割して回収されるという点を除いて、通常の信用販売（掛売り）と本質的に異なるところはない。そのため、「収益認識に関する会計基準」では、通常の販売と同様に、割賦販売についても販売基準が原則的方法とされているが、会計基準の国際的コンバージェンスの観点から、回収基準や回収期限到来基準の採用も認められている。

イ　工事契約について、工期がごく短い場合には、一定の期間にわたり収益を認識せず、完全に履行義務を充足した時点で収益を認識することができる。

ウ　消費税の税込方式による会計処理は認められない。

エ　製品の国内販売において、出荷時から検収時までの期間が通常の期間である場合であっても、出荷時に収益を認識することは一切認められていない。

解　答

1

①	財	②	サービス
③	顧客	④	取引価格

2

誤っている語句（記号）	エ	正しい語句	返金負債
誤っている語句（記号）	ク	正しい語句	含める

3 (1)

進捗度

(2)　名称

インプット法

記号

ウ、エ

(3)

原価回収基準

(4)

原価回収基準とは、履行義務を充足する際に発生する費用のうち、回収することが見込まれる費用の金額で収益を認識する方法 5 をいう。

4

ア	×	イ	○	ウ	○	エ	×

【配　点】

1　各１点　　2　（記号及び語句共に正解で）各２点　　3 (1)　２点

(2)　名称　２点、記号　２点（完答）　(3)　２点　　(4)　５点

4　各１点　　合計25点

解答への道

1について

本会計基準の基本となる原則は、約束した**財**又は**サービス**の**顧客**への移転を当該**財**又は**サービス**と交換に企業が権利を得ると見込む対価の額で描写するように、収益を認識することである。

基本となる原則に従って収益を認識するために、次の(1)から(5)のステップを適用する。

(1) **顧客**との契約を識別する。

(2) 契約における履行義務を識別する。

(3) **取引価格**を算定する。

(4) 契約における履行義務に**取引価格**を配分する

(5) 履行義務を充足した時に又は充足するにつれて収益を認識する

2について

変動対価の額の見積りにあたっては、発生し得ると考えられる対価の額における最も可能性の高い単一の金額（最頻値）による方法又は発生し得ると考えられる対価の額を確率で加重平均した金額（期待値）による方法のいずれかのうち、企業が権利を得ることとなる対価の額をより適切に予測できる方法を用いる。

顧客から受け取った又は受け取る対価の一部あるいは全部を顧客に返金すると見込む場合受け取った又は受け取る対価の額のうち、企業が権利を得ると見込まない額について、**返金負債**を認識する。

上記に従って見積られた変動対価の額については、変動対価の額に関する不確実性が事後的に解消される際に、解消される時点までに計上された収益の著しい減額が発生しない可能性が高い部分に限り、取引価格に**含める**。

したがって、訂正する語句は(エ)及び(ク)の２つである。

３(1)から(3)について

「収益認識に関する会計基準」第41項及び第45項では以下のように規定している。

一定の期間にわたり充足される履行義務については、履行義務の充足に係る**進捗度**を見積り、当該**進捗度**に基づき収益を一定の期間にわたり認識する。

（中　略）

履行義務の充足に係る進捗度を合理的に見積ることができないが、当該履行義務を充足する際に発生する費用を回収することが見込まれる場合には、履行義務の充足に係る進捗度を合理的に見積ることができる時まで、一定の期間にわたり充足される履行義務について原価回収基準により処理する。

また、「収益認識に関する会計基準の適用指針」では以下のように規定している。

> 15. 完全な履行義務の充足に向けて財又はサービスに対する支配を顧客に移転する際の企業の履行を描写する進捗度（以下「履行義務の充足に係る進捗度」という。）の適切な見積りの方法には、アウトプット法とインプット法があり、その方法を決定するにあたっては、財又はサービスの性質を考慮する。
> 17. アウトプット法は、現在までに移転した財又はサービスの顧客にとっての価値を直接的に見積るものであり、現在までに移転した財又はサービスと契約において約束した残りの財又はサービスとの比率に基づき、収益を認識するものである。…(略)
> 20. インプット法は、履行義務の充足に使用されたインプットが契約における取引開始日から履行義務を完全に充足するまでに予想されるインプット合計に占める割合に基づき、収益を認識するものである。…(略)

したがって、アウトプット法以外の方法（名称）は「インプット法」である。インプット法は、収益を獲得するために必要な生産要素をインプットとして捉えるため、使用される指標としては「発生したコスト(ウ)」及び「消費した資源(エ)」を選択することとなる。

a インプット法に使用される指標（例）・・・・消費した資源、発生した労働時間、発生したコストなど

b アウトプット法に使用される指標（例）・・・生産単位数、引渡単位数、現在までに履行を完了した部分の成果の調査など

3 (4)について

「収益認識に関する会計基準」第15項では以下のように規定している。

> 「原価回収基準」とは、履行義務を充足する際に発生する費用のうち、回収することが見込まれる費用の金額で収益を認識する方法をいう。

したがって、上記下線部を解答することとなる。

4について

ア ×： 従来は収益の認識を慎重に行う観点から、例外的に回収基準等で収益認識することが認められていたが、本基準を適用した場合、商品引渡時に履行義務が充足されるため、回収基準等に基づく収益認識は認められなくなった。

イ ○

ウ ○

エ ×： 商品又は製品の国内の販売において、出荷時から当該商品又は製品の支配が顧客に移転される時までの期間が通常の期間（国内における出荷及び配送に要する日数に照らして取引慣行ごとに合理的と考えられる日数）である場合には、出荷時から当該商品又は製品の支配が顧客に移転される時までの間の一時点（例えば、出荷時や着荷時）に収益を認識することができる。

(MEMO)

税理士受験シリーズ

2025年度版　9　財務諸表論　理論問題集　応用編

（平成20年度版　2008年２月25日　初版 第１刷発行）

2024年12月５日　初　版　第１刷発行

編著者　ＴＡＣ株式会社（税理士講座）

発行者　多田敏男

発行所　ＴＡＣ株式会社　出版事業部（ＴＡＣ出版）

〒101-8383
東京都千代田区神田三崎町3-2-18
電話 03（5276）9492（営業）
FAX 03（5276）9674
https://shuppan.tac-school.co.jp

印刷　株式会社　ワコー

製本　株式会社　常川製本

ISBN 978-4-300-11309-7
N.D.C. 336

2025年合格目標コース

反復学習でインプット強化! & 豊富な演習量で実践力強化!

対象者：初学者／次の科目の学習に進む方

2024年 9月 10月 11月 12月 2025年 1月 2月 3月 4月 5月 6月 7月 8月

9月入学 基礎マスター＋上級コース（簿記・財表・相続・消費・酒税・固定・事業・国徴）
3回転学習！年内はインプットを強化、年明けは演習機会を増やして実践力を鍛える！
※簿記・財表は5月・7月・8月・10月入学コースもご用意しています。

9月入学 ベーシックコース（法人・所得）
2回転学習！週2ペース、8ヵ月かけてインプットを鍛える！

9月入学 年内完結＋上級コース（法人・所得）
3回転学習！年内はインプットを強化、年明けは演習機会を増やして実践力を鍛える！

12月・1月入学　速修コース（全11科目）
7ヵ月〜8ヵ月間で合格レベルまで仕上げる！

3月入学　速修コース（消費・酒税・固定・国徴）
短期集中で税法合格を目指す！

8月：税理士試験

対象者：受験経験者（受験した科目を再度学習する場合）

2024年 9月 10月 11月 12月 2025年 1月 2月 3月 4月 5月 6月 7月 8月

9月入学　年内上級講義＋上級コース（簿記・財表）
年内に基礎・応用項目の再確認を行い、実力を引き上げる！

9月入学　年内上級演習＋上級コース（法人・所得・相続・消費）
年内から問題演習に取り組み、本試験時の実力維持・向上を図る！

12月入学　上級コース（全10科目）
※住民税の開講はございません
講義と演習を交互に実施し、答案作成力を養成！

8月：税理士試験

※2024年7月12日時点の情報です。最新の情報は、TAC 税理士講座ホームページをご確認ください。

TAC出版 書籍のご案内

TAC出版では、資格の学校TAC各講座の定評ある執筆陣による資格試験の参考書をはじめ、資格取得者の開業法や仕事術、実務書、ビジネス書、一般書などを発行しています！

TAC出版の書籍

＊一部書籍は、早稲田経営出版のブランドにて刊行しております。

資格・検定試験の受験対策書籍

- 日商簿記検定
- 建設業経理士
- 全経簿記上級
- 税　理　士
- 公認会計士
- 社会保険労務士
- 中小企業診断士
- 証券アナリスト
- ファイナンシャルプランナー(FP)
- 証券外務員
- 貸金業務取扱主任者
- 不動産鑑定士
- 宅地建物取引士
- 賃貸不動産経営管理士
- マンション管理士
- 管理業務主任者
- 司法書士
- 行政書士
- 司法試験
- 弁理士
- 公務員試験(大卒程度・高卒者)
- 情報処理試験
- 介護福祉士
- ケアマネジャー
- 電験三種　ほか

実務書・ビジネス書

- 会計実務、税法、税務、経理
- 総務、労務、人事
- ビジネススキル、マナー、就職、自己啓発
- 資格取得者の開業法、仕事術、営業術

一般書・エンタメ書

- ファッション
- エッセイ、レシピ
- スポーツ
- 旅行ガイド（おとな旅プレミアム/旅コン）

書籍の正誤に関するご確認とお問合せについて

書籍の記載内容に誤りではないかと思われる箇所がございましたら、以下の手順にてご確認とお問合せをしてくださいますよう、お願い申し上げます。
なお、正誤のお問合せ以外の**書籍内容に関する解説および受験指導などは、一切行っておりません。**
そのようなお問合せにつきましては、お答えいたしかねますので、あらかじめご了承ください。

1 「Cyber Book Store」にて正誤表を確認する

TAC出版書籍販売サイト「Cyber Book Store」のトップページ内「正誤表」コーナーにて、正誤表をご確認ください。

CYBER BOOK STORE TAC出版書籍販売サイト

URL:https://bookstore.tac-school.co.jp/

2 1 の正誤表がない、あるいは正誤表に該当箇所の記載がない ⇒ 下記①、②のどちらかの方法で文書にて問合せをする

★ご注意ください★

お電話でのお問合せは、お受けいたしません。
①、②のどちらの方法でも、お問合せの際には、「お名前」とともに、
「対象の書籍名(○級・第○回対策も含む)およびその版数(第○版・○○年度版など)」
「お問合せ該当箇所の頁数と行数」
「誤りと思われる記載」
「正しいとお考えになる記載とその根拠」
を明記してください。
なお、回答までに１週間前後を要する場合もございます。あらかじめご了承ください。

① ウェブページ「Cyber Book Store」内の「お問合せフォーム」より問合せをする

【お問合せフォームアドレス】

https://bookstore.tac-school.co.jp/inquiry/

② メールにより問合せをする

【メール宛先　TAC出版】

syuppan-h@tac-school.co.jp

※土日祝日はお問合せ対応をおこなっておりません。
※正誤のお問合せ対応は、該当書籍の改訂版刊行月末日までといたします。

乱丁・落丁による交換は、該当書籍の改訂版刊行月末日までといたします。なお、書籍の在庫状況等により、お受けできない場合もございます。
また、各種本試験の実施の延期、中止を理由とした本書の返品はお受けいたしません。返金もいたしかねますので、あらかじめご了承くださいますようお願い申し上げます。

TACにおける個人情報の取り扱いについて
■お預かりした個人情報は、TAC(株)で管理させていただき、お問合せへの対応、当社の記録保管にのみ利用いたします。お客様の同意なしに業務委託先以外の第三者に開示、提供することはございません(法令等により開示を求められた場合を除く)。その他、個人情報保護管理者、お預かりした個人情報の開示等及びTAC(株)への個人情報の提供の任意性については、当社ホームページ(https://www.tac-school.co.jp)をご覧いただくか、個人情報に関するお問い合わせ窓口(E-mail:privacy@tac-school.co.jp)までお問合せください。

(2022年7月現在)

答案用紙の使い方

この冊子には、答案用紙がとじ込まれています。下記を参照してご利用ください。

STEP1

一番外側の色紙（本紙）を残して、答案用紙の冊子を取り外してください。

STEP2

取り外した冊子の真ん中にあるホチキスの針は取り外さず、冊子のままご利用ください。

- 作業中のケガには十分お気をつけください。
- 取り外しの際の損傷についてのお取り替えはご遠慮願います。

答案用紙はダウンロードもご利用いただけます。
TAC出版書籍販売サイト、サイバーブックストアにアクセスしてください。

TAC出版　検索

税理士受験シリーズ❾
財務諸表論　理論問題集　応用編

別冊答案用紙

目　次

第１問　一般原則①

自己採点	／25点

1

①		②		③	
④		⑤		⑥	

2

3 (1)

資本取引

損益取引

(2)

(3)

適正な期間損益計算の観点

財政状態及び経営成績の適正開示の観点

4

①		②		③	
④					

5 (1)

(2)

(3)

第2問　一般原則②

自己採点　／25点

1

2 （前提）

（前提が必要となる理由）

3 (1)

類　型	Ⅰ	Ⅱ	Ⅲ	Ⅳ	Ⅴ	Ⅵ	Ⅶ	Ⅷ
解答欄								

(2)

①
②

4

類　型	Ⅰ	Ⅱ	Ⅲ	Ⅳ	Ⅴ	Ⅵ	Ⅶ	Ⅷ
解答欄								

5

類　型	Ⅰ	Ⅱ	Ⅲ	Ⅳ	Ⅴ	Ⅵ	Ⅶ	Ⅷ
解答欄								

第3問　損益会計①

自己採点	／25点

1

①		②		③	
④		⑤		⑥	

2

①
②

3

委託販売	
試用販売	

4

第４問　損益会計②

自己採点　／25点

1 (1)

(2)

有　　　無　　（どちらかを○で囲む）

2

3 (1)

(2)

第5問	資産会計総論	自己採点	／25点

1

①		②		③		④	

2

3 (1)

(2)

第6問　棚卸資産

自己採点　／25点

問1

①		②	
③		④	

問2

1

2

3

4

5

第7問	有形固定資産①	自己採点	／25点

1

①		②	

2

3

Aについて

Bについて

4　① 名　称

② 理　由

第8問　有形固定資産②

自己採点　／25点

1

2 (1)

(2) ① 臨時損失

② 減損処理

(3) ①

②

第9問　繰延資産①

自己採点	／25点

問1

1

①		②	

2

3 (1)

資産

項目

(2)

(3)

認識		の原則
測定		の原則

(4)

(5)

問2

1

③		④	

2

3

第10問	繰延資産②	自己採点	／25点

問１

1

①		②	

2

3

4

問２

1

2

3

第11問　引当金

自己採点	／25点

問１

①		②	
③		④	

問２

(1)

(2)

問３

問４

問５

問６　開示方法

理　由

第12問 財務諸表

自己採点	／25点

1 (1)

A		B		C	

(2)

d		e	
f		g	
h			

(3)

2 当期業績主義

包括主義

3

4

第13問　収益費用アプローチ・資産負債アプローチ①

自己採点	／25点

1

(1)

(2)

①		②		③	

(3)

2

(1)

(2)

(3)

3

第14問　収益費用アプローチ・資産負債アプローチ②

自己採点	／25点

問１

１

２

３

問２

１

２ (1)

(2)

(3)

第15問　概念フレームワーク①

自己採点	／25点

1 (1)

(2)

(3)

(4)

2 (1)

A	
B	

(2)

(3)

第16問　概念フレームワーク②

自己採点	／25点

1

①		②	
③		④	
⑤		⑥	
⑦		⑧	

2

3 (1)

(2)

(3)

4 (1)

(2)

(3)

第17問	金融基準①	自己採点　／25点

1

①		②	
③		④	
⑤		⑥	

2

3

4

5

6

第18問　金融基準②

自己採点	／25点

（設問１）

1

2 (1)

(2)

3

（設問２）

1　①　②　③　④

2 (1)　下線部(a)

下線部(b)

(2)

(3)

(4)

3 (1)

(2)

(3)　名称

第19問　リース基準①

自己採点	／25点

1

(1)

(2)

①

A　　　　B

②

2

(1)

(2)

C

D

E

第20問　リース基準②

自己採点	／25点

問1

①		②		③	

問2

問3

問4

問5

問6

問7

問8

所有権移転ファイナンス・リース取引

所有権移転外ファイナンス・リース取引

第21問　減損基準①

自己採点　／25点

1 (1)

①		②	
③		④	
⑤		⑥	
⑦			

(2)

(3)

2 (1) 減損損失の認識

(2) 2つの回収手段

(　　　　　　　　)、(　　　　　　　　)

減損損失の測定

3

第22問　減損基準②

自己採点　／25点

1 (1) ①

②

(2) ①

②

記　号	

③

2 (1)

名　称	

(2)

3 (1)

(2)

記　号	

4

第23問	棚卸資産基準①	自己採点　／25点

1

①		②		③	
④		⑤		⑥	
⑦		⑧		⑨	

2

3

4

5

第24問　棚卸資産基準②

自己採点　／25点

1

①		②		③	

2 (1)

(2)

(3)

(4)

(5)

3 (1)

(2)

(3)

(4)

第25問　研究開発基準

自己採点	／25点

1

2

3

(1)

①		②	

(2)

(3)

第26問 退職給付基準

自己採点	／25点

1

①		②	
③		④	
⑤		⑥	
⑦		⑧	

2

3 (1)

①		②	

(2)

4

5

6

方法①	
方法②	

第27問　資産除去債務基準

自己採点	／25点

1

①		②		③		④		⑤	

2

記号	

3 (1)

名称	
内容	

(2)

4

5

6

記号	

第28問 退職給付基準・資産除去債務基準

自己採点	／25点

問１

問２

(1)

(2) ①

空欄(イ)		空欄(ロ)	
空欄(ハ)		空欄(ニ)	
空欄(ホ)			

②

問３

(1)

(2)

(3) ①

空欄(ヘ)		空欄(ト)	
空欄(チ)		空欄(リ)	

②

第29問 税効果基準

自己採点 ／25点

問1

① ② ③ ④

問2

問3

問4

問5

⑤		⑥	
⑦		⑧	

問6

第30問	企業結合基準・事業分離基準①	自己採点	／25点

1

①		②		③	
④		⑤		⑥	
⑦		⑧			

2

(1)

(2)

3

第31問 企業結合基準・事業分離基準②

自己採点	／25点

1

①		②		③	

2 (1)

経済的実態

会 計 処 理

(2)

経済的実態

会 計 処 理

3 (1)

ニ		ホ	

(2) ニの事業分離

ホの事業分離

(3)

ヘ		ト	

第32問 純資産表示基準①

自己採点 ／25点

1 (1)

正誤欄	
修正欄	

(2)

正誤欄	
修正欄	

(3)

正誤欄	
修正欄	

2 (1)

(2)

3 (1) ① 資本剰余金の額の減少と考えるべきとの意見

② 利益剰余金の額の減少と考えるべきとの意見

(2)

(3)

4

第33問 純資産表示基準②

自己採点 ／25点

問1

1

2

3

区分項目	
理由	

区分項目	
理由	

4

区分項目	
理由	

問2

1

①		②	

2

3

第34問　外貨換算基準

自己採点	／25点

1 (1) 外貨建金銭債権債務

(2) 外貨建売買目的有価証券

(3) 外貨建子会社株式

2 名称

内容

理由

3 (1)

①		②		③		④	

(2)

第35問	包括利益表示基準	自己採点	／25点

問１

①		②	
③		④	

問２

問３

(1)

(2)

記号	

問４

(1)

(2)

金額欄	下線部(a)		百万円
	下線部(b)		百万円
	下線部(c)		百万円

（注）マイナスの場合には、「△」を付すこと

名称欄	

問５

第36問　キャッシュ・フロー計算書基準

自己採点	／25点

1

①		②		③	

2 (1)

親会社説

経済的単一体説

(2)

親会社説

経済的単一体説

3 (1)

定義

記 号	

(2)

営業活動によるキャッシュ・フローの区分	
投資活動によるキャッシュ・フローの区分	
財務活動によるキャッシュ・フローの区分	

(3)

直接法の長所

間接法の長所

(4)

記 号	

第37問　連結財務諸表基準

自己採点	／25点

1

①		②		③		④	
⑤							

2

名称	

3

その他の包括利益の定義

包括利益の定義

4

(1)

(2)

用語	

5

(1)

(2)

第38問　連結財務諸表基準・四半期財務諸表基準

自己採点	／25点

1 (1)

①		②		③		④	

(2)

(3)

評価方法

整合的な連結基礎概念

2 (1)

(2)

(3)

	正誤欄	理由（誤っている箇所がない場合には、何も記載しなくてよい）
①		
②		

第39問	会計上の変更等基準①	自己採点	／25点

1 (1)

①		②	
③		④	

(2)

2

遡及処理を行うもの	基準の表現
会計方針の変更	

3

4　遡及処理を行わないものの名称及び取扱い

遡及処理が行われない理由

第40問　会計上の変更等基準②

自己採点　／25点

1

①		②	
③		④	
⑤		⑥	
⑦		⑧	

2

3

4

第41問　収益認識基準

自己採点	／25点

1

①		②	
③		④	

2

誤っている語句（記号）		正しい語句	
誤っている語句（記号）		正しい語句	

3 (1)

(2) 名称

記号

(3)

(4)

4

ア		イ		ウ		エ	